Sagittaire

André Barbault

© 1958 Éditions du Seuil. Toute reproduction interdite y compris par microfilm. ISBN 2-02-000698-7

zodiaque / Seuil

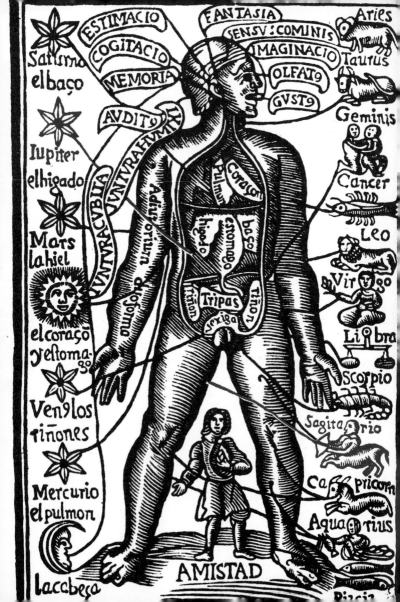

Avec le concours de Jean-Pierre Nicola, Marilène Janréguibéhère, Jacqueline Aimé, Louis Millat, sous la direction de François-Régis Bastide.

ETRE

l'invitation au voyage

Quand, chaque année, durant la période mensuelle du 22 novembre au 20 décembre, le Soleil parcourt le neuvième signe zodiacal, le Sagittaire, nous sommes dans la dernière phase de l'automne, précédée par les mois de la Balance et du Scorpion, et nous allons vers le Capricorne qui inaugure la saison d'hiver.

Inutile de nous tourner du côté de la constellation *Sagittarius* ni d'invoquer la brillante étoile *Antarès* qui scintille de tous ses feux violents dans la marge du signe. Le Sagittaire est pour nous la portion zodiacale comptée sur l'écliptique de 240 à 270° de longitude, point où se termine le troisième quadrant et où le Soleil atteint le maximum de sa déclinaison sud. Il a donc partie liée avec la troisième et dernière phase de l'automne.

Dans la Nature, après la chute des feuilles et le grand tourment d'une végétation qui se meurt au Scorpion, tout s'apaise, tout rentre dans l'ordre; décembre est le mois d'un certain repos avant l'arrivée des grands frimas et des froids sévères du Capricorne.

Le signe est représenté par la figure mythologique bien connue du *centaure* dont le corps dans sa partie inférieure est celui d'un cheval, et dans sa partie supérieure celui d'un homme qui tient un arc bandé avec une flèche prête à partir.

L'hiéroglyphe par lequel on l'inscrit dans le cercle zodiacal

7

Civarius, L'observatoire astronomique,
Amsterdam 1660.

se contente d'évoquer la flèche orientée vers le haut dans un angle voisin de 45°, et coupée par un trait perpendiculaire à son point médian. Il s'en dégage la symbolique d'un mouvement qui part d'un centre et s'en éloigne, d'un élan expansif à direction ascendante, cependant retenu par le poids du trait qui coupe la flèche.

Dans ces deux lignes qui se croisent, nous saisissons sans tarder la nature *double* du signe, évoquée du reste par le corps mixte du centaure, mi-cheval, mi-homme. Ses quatre sabots reposent sur la terre où, tel Antée, il puise sa force originelle; mais en même temps sa tête se dresse devant le ciel et il oriente sa flèche vers les étoiles. Et l'on peut ajouter que le cheval est à l'homme ce que l'arc est à la flèche. En effet, la partie animale représentée par le cheval symbolise la puissance instinctive mise au service de l'homme qui la destine vers un but élevé : le centaure est la plus belle image de la transmutation des valeurs, de la *sublimation*, passage de l'humain au surhumain. On remarquera à ce propos que dans l'*Homme-Zodiaque* où chaque signe correspond à une partie du corps humain, le Sagittaire est dévolu aux cuisses : c'est là que se concentre l'énergie sagittarienne et elle se précise dans le sens du pouvoir du cavalier, investi de la puissance du noble animal, lorsqu'il fait corps avec son coursier, les jambes contre ses flancs.

Il est clair que le centaure est le symbole de l'union ou de la synthèse de la nature animale et de la nature spirituelle : corps et âme, bas et haut, matière et esprit, possession terrestre et aspiration divine, inconscient et supraconscient...

Le Sagittaire puise son énergie dans l'œuvre de fermentation de son prédécesseur; il opère même une projection de ce que le Scorpion avait amassé à travers ses propres épreuves; mais ce que celui-ci avait vécu en luttes intérieures, il le dépensera et le vivra en luttes extérieures; il projettera ces énergies mobilisées au Scorpion pour les destiner vers un but. C'est ici que la flèche décochée par le centaure prend tout son sens. Elle représente une action *transmissive* plus ou moins juste et rapide; elle est, selon Sénard, l'instrument qui relie l'archer au tout, le sujet de l'action à l'objet qu'il se propose, et cela, grâce à la vision claire dont dépend la visée juste. Le désir et l'ambition du Sagittaire, précise Jean Carteret, « est de *relier le proche au lointain*; il s'agit pour lui d'atteindre ou d'arriver, alors que le Bélier ne consistait qu'à partir. La flèche du Sagittaire sera l'audace de la pensée métaphysique exprimée par la flèche des cathédrales[1] ». Dynamisme orienté vers l'illimité, on voit ainsi où nous conduit cette flèche. Et quand l'abbé Carl de Nys transpose ces valeurs en langage de foi, il déclare : « ... puisque c'est l'élan de la pensée la plus haute, c'est aussi un symbole johannique; il suffit de se rappeler le premier chapitre de saint Jean. C'est aussi un symbole, par le mouvement qui en est l'essence, de l'élan apostolique, et il n'est pas accidentel que, sur le tympan de notre Eglise idéale, il y ait sous les douze signes du zodiaque les figures des douze apôtres correspondant à ces signes et allant jusqu'aux limites du monde explorable pour annoncer la bonne nouvelle[2]. »

Faut-il maintenant s'étonner que le Sagittaire soit un signe de *Feu*? Dans le triangle zodiacal de cet élément, il vient en dernier comme un achèvement, après les deux précédents. Si le premier, le Bélier, représente le feu originel dans toute sa puissance animale, créatrice et destructrice, anarchique, aveugle, indomptable; pour le meilleur et le pire; et si le Lion, le second, symbolise le feu maîtrisé, la flamme domestiquée, la force ignée orientée au profit du Moi, le *Feu-mutable* du Sagittaire représente le déclin en même temps que l'assomption du feu de la vie. Dans la mesure où il atteint le solstice d'hiver, le soleil du Sagittaire est au plus bas de son rayonnement physique et il exprime l'abdication du feu individuel, de ce feu léonin consacré à la magnificence de l'ego. Mais le rayonnement vital ne s'éteint pas plus que le Soleil quand il se couche; disparu d'un hémisphère, le grand luminaire permanent en éclaire un autre, et la descente matérielle est compensée par une montée de l'esprit. On pourrait comparer le feu du Bélier à la libido du jeune homme,

---

1. *Sinfonia Sacra*, émission de Jean Witold, *Paris Inter*, 14 mars 1957.
2. Idem.

celui du Lion à la puissance de l'adulte de la quarantaine, et celui du Sagittaire au dynamisme particulier qui anime l'homme de la soixantaine. Le déclin de la vitalité physique commence à se faire sentir; la chaleur se retire des viscères pour animer l'âme, au profit d'une plus grande liberté vis-à-vis des pulsions instinctives : c'est une décantation des aspirations spirituelles. Ce feu sagittarien ne remplit donc plus une mission d'individualisation, l'individu étant à son déclin, mais il est au service d'une expérience « transindividuelle »; son essence purifiée est destinée aux transports spirituels : il est feu purificateur, feu de l'illumination, feu sacré, analogue à la flamme qui s'élève, à la flèche qui relie la nature à la transcendance.

Il ne faut pas oublier que le troisième quadrant du zodiaque apporte la suprématie du collectivisme sur l'individualisme, la domination de la société sur la personnalité. A la Balance, le couple se forme; au Scorpion, il s'unit, et au Sagittaire il trouve son idéal. A cette dernière étape, le lointain triomphe sur le proche; c'est le moment des grandes aventures dans les vastes royaumes, des croisades et des pèlerinages, l'heure où triomphe la recherche de l'absolu et les valeurs éternelles. En fait, on découvrira deux grands sagittariens : l'introverti qui a le don philosophique de voir loin ou le besoin d'une exploration spirituelle profonde, et l'extraverti saisi par la passion de parcourir les grands espaces, de couvrir les vastes horizons. L'un gonfle ses muscles et bande son arc dans la verticale; l'autre dans l'horizontale.

11

Georgius Zothorus,
Livre d'Astrologie.

On comprendra mieux encore le Sagittaire en le comparant à son opposé, les Gémeaux. Au troisième signe, nous avons l'être qui construit un tissu serré de connexions proches avec le monde qui l'entoure, en se fondant sur sa logique, sa ratio; au neuvième signe, on le voit sacrifier le proche au lointain pour établir des connexions à longue portée qui intègrent sa nature aux valeurs sociales et spirituelles; il s'agit d'un dépassement de l'individualité qui débouche sur le monde métaphysique. Nous avons là deux univers opposés et complémentaires. Aux Gémeaux, c'est le règne de la dualité par différenciation : séparation et attachement, division et association; c'est la coexistence d'états opposés : individualisme et sociabilité, indépendance et fraternité, concurrence et association... Au Sagittaire, par contre, c'est le règne de l'unification, de la fusion, de la synthèse; l'être est à la fois animal et homme, instinctif et raisonnable, passionné et réfléchi, terrestre et céleste; il est une totalité (et non une dualité) qui se saisit dans une unité souveraine. Si d'ailleurs nous cherchons des images appropriées pour les caractériser, nous assimilerons, avec Maurice Munzinger, les Gémeaux au coin qui s'enfonce dans le tronc d'arbre pour en briser l'unité, et le Sagittaire à l'arcade, à la voûte romaine, au viaduc, au pont, soit à tout ce qui enveloppe, joint, relie un point à un autre par médiation[1]. Et si nous cherchons les symboles qui définissent l'un et l'autre, nous dirons que le Caducée est aux Gémeaux, avec ses valeurs de dialectique, ce que l'aigle est au Sagittaire, l'aigle vu ici dans sa valeur olympienne, toutes ailes déployées : ampleur de vues, volonté souveraine, desseins à longue portée, vaste synthèse, sérénité, vol plané...

Si le Sagittaire évoque l'aigle impérial, il montre par là son appartenance planétaire à *Jupiter*, la planète la plus volumineuse qui entoure le Soleil et tourne sur son axe vertical avec majesté, emportant dans sa course le cortège de ses nombreux satellites. Nul mieux que cet astre, par son ampleur et sa puissance, ne peut symboliser le magister, l'homme sûr, en possession de tous ses moyens, maître de soi, en accord

---

1. Albert Marquet, qui a la lune du Sagittaire dominante, n'a pas cessé de peindre des ponts, et Ferdinand de Lesseps, chez qui le signe est dominant, s'est chargé du percement du canal de Suez.

avec l'ordre établi, en règle avec la loi, sollicité vers la sagesse, mais encore animé par la passion. Jupiter est un principe de cohésion, de coordination ; lui aussi tend à fondre dans une unité globale la terre et le ciel, l'humain et le divin, et tel est bien le sens que l'on peut donner aux unions de Zeus avec des mortelles dont naissent des héros. Il est l'ordonnateur des choses, représentant de l'ordre, de la loi, de la justice, disons des pouvoirs publics. Le statisticien Michel Gauquelin a relevé la fréquence spéciale de son lever et de sa culmination à la naissance de 500 députés d'une récente Chambre française et de 676 grands chefs militaires. Il a également démontré la même relation pour la naissance de 500 acteurs ; en fait, Jupiter est également « représentatif » ; il est un processus d'extraversion, d'affirmation spectaculaire, et il aboutit au conventionnel, à l'académique, à la boursouflure, quand il échoue dans son pouvoir d'unification : faute de pouvoir contenir, il se gonfle. Au point de vue caractérologique, il attache son nom au type *jovial*, tout en expansion, en spontanéité, en confiance, en euphorie, en générosité, en libéralité, en optimisme, en ouverture sociale, en gourmandise aussi, en épanouissement vital en un mot. Il est par ailleurs associé à la détente, à la paix comme à l'ordre. Le 11 novembre 1918 il formait le plus bel aspect qui soit (un trigone) avec le Soleil, et il le reformait le 8 mai 1945...

L'astrologue se trouve donc en présence d'un *complexe Sagittaire-Jupiter* et il doit encore inclure dans cet ensemble de valeurs analogues un troisième facteur : la Maison IX, homologue du neuvième signe (toute occupation de cette Maison par des astres renforçant le couple signe-planète), et qui a trait au domaine des vastes horizons. Dans le sens de l'extraversion, il indique précisément les grands voyages, les

expéditions et explorations, les colonies et l'étranger, le lointain. Et dans le sens de l'introversion, il est en rapport avec les conceptions, opinions et aspirations culturelles, plus particulièrement morales, religieuses et métaphysiques.

Voyons maintenant les particularités apportées par la présence des astres dans le signe :

L'Ascendant et le *Soleil* dans le Sagittaire valorisent celui-ci sans le qualifier spécialement.

La *Lune* en Sagittaire donne le rêve de l'envol, l'amour des voyages, de l'aventure (D'Annunzio, Christine de Suède, Guynemer, Lindbergh, Surcouf), ou le besoin d'idéal, l'aspiration du sentiment vers la passion philosophique (Beethoven, Brahms, Nietzsche).

Mercure en Sagittaire dénote également l'amour des voyages, de l'espace, des horizons lointains (Bougainville, Alain Gerbault, Guynemer, Kipling, Lesseps, Mermoz, Suzy Solidor); le goût des langues étrangères ou des contacts avec l'étranger (Zamenhof), sinon l'intelligence sagittarienne qui embrasse des ensembles et plane sur des idées générales,

des vues philosophiques (Bayle, Beethoven, Chénier, Engels, Franck, Kipling).

Vénus en Sagittaire donne l'envol aux aspirations affectives à la recherche d'un épanouissement esthétique, moral ou d'un idéal spirituel (Churchill, de Gaulle, Mme de Maintenon, Manet, Monet, Spinoza).

Mars en Sagittaire oriente son agressivité en direction des principes moraux et philosophiques, révisés et critiqués (Bayle, Diderot, Eluard, Engels), sinon il donne l'éclat des grandes actions, des dynamismes fougueux, souvent inspirés par un esprit d'insurrection (Berlioz, Clemenceau, Condé, Honegger, Lesseps, Lyautey, Néron, Pilsudski).

Jupiter en Sagittaire éprouve le besoin d'irradier une bonté généreuse, sinon une autorité qui peut aussi bien être paternelle, patronale qu'autoritaire (Calvin, Clemenceau, Edouard VII, Fallières, Pie XII).

Saturne en Sagittaire tend à affirmer la personnalité dans le sens d'un effort spirituel, d'une ascèse, d'une morale, d'une connaissance philosophique (Charles V, Spinoza).

plus haut que lui...

Dhanous est le nom sanscrit du signe, simple adjectif numéral, signifiant neuvième, mais la tradition ajoute cette nuance de début du troisième quaternaire qui nous renseigne davantage sur son esprit. Signe de feu, ce sera, comme les deux autres, un point de départ, un nouvel élan... Neuvième signe, il est le siège des 9 *Prajàpatis*, hiérarchies constructives qui ont assisté la Divinité dans la création de l'Univers et que les Hindous estiment nées de l'esprit de Brahma. Celui-ci, d'ailleurs, en tant que *Grand Prajàpati*, termine avec eux le grand décennaire cosmique.

Troisième signe de feu du Zodiaque, il joue également comme *terminant une trinité*, la Trinité créatrice dont nous avons décrit au Bélier et au Lion les concepts du Père de tout et du Fils. C'est ici la manifestation du feu de l'Esprit (langues de feu de la tradition chrétienne), c'est l'animation créatrice qui inaugure le troisième quaternaire.

L'aspect de l'hiéroglyphe est très significatif d'un symbole trinitaire. La partie animale du Centaure, en effet, puissamment appuyée sur la terre par les quatre membres du cheval, symbolise l'emprise réciproque de la terre et des principes inférieurs. La partie humaine redressée, correspond à l'incarnation des volitions et des latences que les signes précédents ont signifiées, soit Atma-Bouddhi-Manas... Et la partie surajoutée objective, en quelque sorte, les desseins du Démiurge

17

en ce qui concerne les destins de sa créature. L'arc bandé et la flèche dirigée vers le haut sont l'expression des visées célestes auxquelles peut prétendre, dès ce neuvième signe, l'homme tel qu'il a été conçu dans l'esprit de la Monade. Tous les plans universels sont ainsi rattachés l'un à l'autre par l'intermédiaire de l'homme, créature divine. Les neuf Prajàpatis, sont trois à trois, régents de ces trois ordonnancements principaux, et reconnaissent encore des sous-groupes de spécialisation. Mais l'homme doit retenir de cette représentation que son Créateur lui a donné, en le mettant au centre de tout, le moyen d'évoluer par lui-même, guidé par les forces supérieures organisatrices, dans sa relation foncière avec tous les plans naturels. Aussi a-t-il le devoir de chercher *plus haut que lui* les forces qui peuvent lui permettre de vivre pleinement, avec les ressources de ses principes les plus élevés. Notons que chaque ordre de Prajàpatis a besoin des autres et que ces entités, comme l'homme lui-même, sont perfectibles.

Avec le secours de ce sens général, résultant de l'emplacement zodiacal, nous pouvons interpréter les différentes légendes qui, pour la plupart, mettent en scène des Centaures. Le plus célèbre, Chiron, naquit centaure des amours de Saturne (sous la forme d'un étalon) avec une nymphe Océanide : Philyre, fille de Thétys ; elle se désola tellement d'avoir engendré un monstre que, sur sa supplication, les dieux la changèrent en tilleul. Le centaure grandit et se retira dans une grotte au pied du mont Pélion en Thessalie. De là, il chassait avec Diane dans les forêts, et devint féru d'astronomie et de botanique, expert notamment en plantes médicinales. Cela, et son nom qui évoque son habileté manuelle, justifie la légende qui le donne comme éducateur à une foule de héros, tels que Jason (en grec : guérir) pour qui il dressa le calendrier des Argonautes, Enée, navigateur éprouvé, Esculape, médecin modèle, Nestor, Thésée, Achille, Ulysse, Castor et Pollux et même Hercule, qui devait le tuer par fatale maladresse plus tard.

Les mythes séparent le peuple des Centaures en deux tendances, les uns incultes et grossiers, prisonniers des

est de recondere. Vespascente aū die, postquam saciate
fuint aque et auro honuste claudunt pullos suos han
nuores preparat famem. et ita regrediunt ad eos
cum auro multo. Est et aliud animal quod formi
caleon dicitur quod est uel formicarii leo. uel certe
formica pariter et leo. Est enim animal partium.
formicis satis infestum ita ut se in puluere abscon
dat. et formicas frumenta gestantes interficiat. Fin
de autem leo et formica uocat. quia alius anima
libus ut formica est formicis autem leo.

appétits instinctifs et les autres, au contraire, tel Chiron, très évolués et même initiés. Les Centaures, fils d'Ixion et de Néphélé, déesse des nuages, étaient soumis aux ordres de Bacchus-Dionysos. Ce dieu, jugeant le temps venu d'initier à ses mystères Hercule, qui se trouvait sur la piste du sanglier d'Erymante, lui suggéra de s'arrêter chez le Centaure Pholos. Celui-ci devait lui faire goûter un vin offert par Dionysos en quantité aux autres Centaures, sous la condition d'en honorer leur hôte. Mais ceux-ci, déjà ivres, refusèrent. Il s'ensuivit un combat au cours duquel Hercule fonça sur eux, en tua plusieurs de sa massue, d'autres avec ses flèches empoisonnées par le sang de l'hydre de Lerne. Les derniers se dispersèrent. Pholos, estimant l'agression injuste, n'avait pas combattu, mais voulut ensevelir les morts, et, en arrachant une flèche, se blessa mortellement. Hercule, désolé, lui rendit de grands honneurs funèbres et l'enterra sous le mont qu'il dénomma Pholoë.

Voyons ici une initiation pénible et douloureuse, du héros, aux mystères dionysiens, le vin représentant la source par laquelle le monde de la conscience appelle à lui toute la gamme des sensations. La ruée des Centaures représente les puissances de l'instinct, capables à leur gré d'asservir la terre sous leurs sabots primitifs. L'initiation valable doit avoir lieu progressivement (avec Pholos comme mentor), dans la subtilité de la dégustation et non dans la brutalité de l'ivresse. Image de la formation délicate d'une conception virile qui doit se protéger contre l'irruption des passions au cours de l'acquisition de toutes les formes de la connaissance.

Les Centaures étaient d'ailleurs, en majorité, des instinctifs (partie animale du signe prédominante), ainsi que le révèle encore la légende suivante : Pirithoüs, fils d'Ixion, régnait sur un peuple de Thessalie, les Lapithes, dresseurs de chevaux réputés, en guerre continuelle avec les Centaures de la contrée. Le roi les invita cependant à son mariage avec Hippodamie, fille d'Adraste, roi d'Argos. Mais, à leur habitude, ils s'enivrèrent et se jetèrent sur les femmes présentes. Hercule et Thésée se saisirent du Centaure Euryte, qui enlevait Hippodamie, et exterminèrent la plupart des autres. Les survivants furent parqués aux îles des Sirènes où ils périrent. Un groupe de Centaures, poursuivis par Hercule, tentèrent de se réfugier auprès de Chiron, mais Hercule continua à les cribler de flèches. L'une manqua son but et atteignit Chiron au genou. Soigné en vain par Hercule, et malgré l'immortalité qui lui venait de son père (Saturne), se sentant souffrir horriblement du venin de l'Hydre, il implora, de Jupiter, la faculté de mourir. Exaucé, il fut enlevé au firmament et figure la constellation du Sagittaire.

A l'instar de Pholos contemplant tristement la flèche meurtrière avant de s'en blesser lui-même, Chiron est un symbole de l'interrogation humaine devant les problèmes de la vie et de la mort, notamment les rapports de cause à effet, et cette disproportion étonnante qui peut exister entre eux. Le sens caché qu'il s'agit de trouver au signe peut donc se résumer dans une douloureuse expérience de *recherche des analogies*. C'est une des premières attitudes scientifiques ! Prométhée, qui justement bénéficia de l'immortalité de Chiron, avait, de la sorte, dérobé le feu du Ciel pour se rendre semblable aux Dieux. Ainsi peut-on dire que l'accession de Chiron aux honneurs célestes représente, pour Hercule, une libération spirituelle. Désormais, son admiration pour son maître pourra être entière, puisque détachée de la monstrueuse « guenille matérielle ». Ceci atteste l'accord divin avec une étape de l'évolution humaine, si l'âme doit vraiment s'enrichir de l'expérience acquise, c'est-à-dire lorsque les temps en sont révolus. Et c'est le symbole de l'étincelle, de la flamme spirituelle, maintenant prête à s'intégrer au comportement humain.

On sait que ce fut un autre Centaure, Nessus, qui causa la mort d'Hercule. Celui-ci avait obtenu la belle Déjanire pour prix d'un tournoi, mais en l'emmenant, il arriva à un torrent en crue. Nessus ayant accepté de passer Déjanire sur son dos, Hercule traversa mais, se retournant, il vit que Nessus fuyait avec Déjanire. Il le frappa d'une flèche empoisonnée. Nessus, pour se venger, enduisit de son sang l'intérieur de sa tunique et suggéra à Déjanire que si Hercule la portait, il lui resterait attaché pour toujours. Crédule, Déjanire l'offrit à son époux

22

qui s'en trouva tellement embrasé qu'il préféra monter sur un bûcher après s'être revêtu de la peau du Lion de Némée, sa victime. Jupiter lui dispensa une mort plus rapide en le foudroyant, et le plaça aux cieux où une constellation porte son nom. Ici encore se trouve soulignée l'opposition entre les dangers des attraits et des expériences charnels, et la purification par la flamme spirituelle.

Un culte particulier rendu à Jupiter, maître du Sagittaire, nous permet encore de dégager certaines des leçons cosmiques de cette zone zodiacale. A Dodone, sous un chêne antique, des prêtres nommés Selloï rendaient les oracles d'après les bruissements de feuilles et les roucoulements des pigeons familiers. Ils s'appelaient *Ceux qui jamais ne se lavent les pieds et font toujours leur lit sur la terre*. Ainsi entendaient-ils que ce qui se dresse vers le ciel doit cependant maintenir le contact avec la terre pour y puiser une force qui deviendra consciente, joyeuse et multiforme aux rayons du soleil, à la lumière et par tous les vents. La forme vivante de l'arbre majestueux était, d'après eux, destinée à symboliser l'union harmonieuse du passé et du présent qui porte l'avenir, par la coexistence, sur un seul tronc, de l'éternellement vieux et de l'éternellement jeune, célébrant ainsi la présence formelle de Zeus-Jupiter.

Le mythe d'Ixion, épisode de la légende jupitérienne, nous fournit par ailleurs diverses expressions du dieu et se réfère aussi à l'origine des Centaures. Ixion était fils d'Anthion, roi des Lapithes. Pour épouser sa fille Clia, il avait promis à Déionéos des présents. Il eut un fils, Pirithoüs, mais ne tint pas sa promesse; son beau-père prit alors en gage ses chevaux. Ixion, furieux, l'attira chez lui en lui promettant une mine d'or, mais le précipita dans une fosse remplie de braises ardentes. Nul ne voulut racheter ses fautes et il fut voué à l'exécration publique, ce que voyant, il implora Jupiter. Celui-ci, en considération de son courage passé, lui pardonna et l'invita à la table des Dieux. Enivré par le nectar, cet ingrat fit la cour à Hera-Junon qui se plaignit à son époux. Jupiter offensé le bannit, mais lui offrit miséricordieusement un fantôme, Néphélé, déesse des nuées, à qui il pouvait prêter l'apparence de Junon. Ixion, trompé, accepta et de cette union naquirent ces créatures monstrueuses, les Centaures. Mais, comme Ixion, incorrigible, continuait à se vanter d'être l'amant de Junon, Jupiter le foudroya. Dans les Enfers, par les soins de Mercure, il fut lié des quatre membres sur une roue en perpétuelle rotation dans une fosse aux serpents! Nous voyons ici la démesure et la mégalomanie en face de l'autorité, de la bonté et de la justice et du recours final au châtiment.

« Liber Floridus » de Lambert
Miniature du XVe siècle.

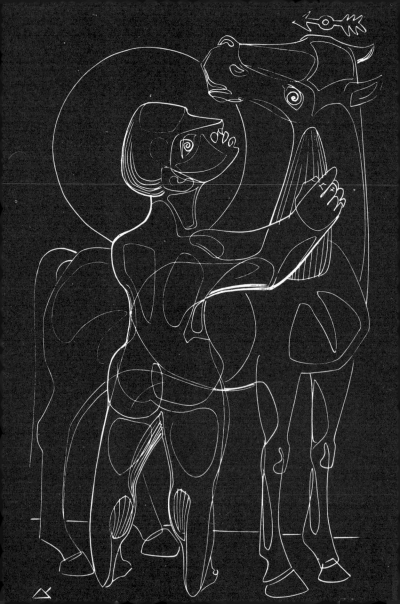

l'instinct de la grandeur

Si l'on admet que chaque signe zodiacal a une psychologie qui lui est propre, il est cependant difficile d'admettre qu'il existe *un* type Sagittaire. La nature dualiste du neuvième signe nous oblige à reconnaître plusieurs claviers qui s'excluent plus ou moins les uns les autres, bien que dans la même ligne directrice. Précisément, s'il existe *des* types sagittariens, il est du moins permis de dégager le tempérament de base qui est commun à tous, clef dominante que nous pouvons, faute de mieux, placer sous l'étiquette de l'instinct de l'envergure.

Ce centaure qui participe de l'animal et de l'homme aspire naturellement à s'étendre sur le plus large parcours. Il baigne tout entier dans un océan sans bords où, des quatre points cardinaux, la nature, l'histoire, la société... mêlent leurs eaux. Personne ne s'assimile mieux que lui au croisement de ses diverses appartenances : géographique, familiale, nationale, culturelle... dont il fait le brassage. Il se veut être, au plus profond de lui-même, un homme complet qui a le goût des abîmes du cœur comme des immensités de l'espace. Le sens existentiel consiste pour lui à camper sa vie en plein univers, le ciel étoilé au-dessus de sa tête.

A la souche de cette personnalité, il est aisé de discerner un Moi en expansion ou en intensité qui cherche ses propres limites et aspire à les dépasser en vue d'atteindre un « au-delà » du Moi. Il sent que le meilleur de l'homme n'est pas forcément d'occuper une large surface de vie pour y instaurer la puissance narcissique de l'ego. Une tentation de cet ordre peut exister, car l'instinct de l'envergure peut se contenter, faute de mieux, d'une expansion dans l'horizontale. Mais son effort vise plutôt vers un plus haut potentiel de valeurs. La sensation enivrante d'une vie complète lui donne le goût de la grande aventure. Il se sent rapidement à l'étroit dans un cadre limité et recherche l'évasion; il veut sortir des limites imposées par la condition humaine : race, famille, patrie, afin de participer à un monde toujours plus vaste. Il a besoin d'être centuplé, transfiguré par l'enthousiasme, par la passion, par le délire divinisé. Sa volonté est, pour lui plus que pour tout autre, une puissance ouverte qui l'arrache à lui-même pour le centrer sur une fin extérieure et supérieure, sans le déraciner de son intimité. Cette idée maîtresse du « hors-du-Moi » lui fait rechercher tout ce qui déborde les limites des choses et des êtres, tout ce qui les prolonge, de la même manière qu'elle lui fait fuir tout ce qui est mesquin, mesuré, étriqué. Les forces libératrices de son être le portent donc vers les zones marginales et l'incitent à fréquenter au maximum, par-delà sa conscience organisée, les ombres de l'infraconscient et les lueurs du superconscient.

Cause, effet ou simple concomitance, ce Moi se fonde, s'éprouve, dans le sentiment aigu de la participation à la vie du monde, dans l'impression profondément ressentie de l'intégration à la cohésion universelle :

C'était le temps où il commença à se sentir une chose dans l'univers.

(Rilke.)

Il a donc besoin de vibrer à l'unisson de l'ambiance la plus large et d'être non un soliste mais un instrument de la plus vaste symphonie collective. Il veut avoir partie liée assez intimement avec les groupes et les mouvements sociaux dont il est l'un des représentants. Cet instinct d'assimilation et de solidarité prend un évident caractère dionysiaque, car ce que veut cet être avant tout, c'est se mêler à la ronde bachique du monde et éprouver l'ivresse sensuelle des centaures amoureux d'une communion terrestre. Certes, comme le Taureau dionysiaque, le Sagittarien dionysiaque fait corps avec la nature et ses enchantements, mais il n'est pas aussi exclusivement que lui enchaîné à sa riche sensualité. En tout cas, avec lui, les enchantements terrestres s'élèvent vers le spirituel et le tumulte bachique le conduit finalement à un état d'ébriété mystique qui peut être le début d'un sentiment religieux.

A la racine de cet être, nous voyons donc apparaître une certaine faculté de relation, de transport. Cela peut être simple perméabilité morale au milieu, grossière identification passionnelle à la communauté, sens inné de la solidarité, assimilation au cadre... Cela entraîne en tout cas une attitude d'ensemble : le sujet s'adapte avec aisance, s'assouplit avec confiance, s'assimile les bonnes manières, se conforme aux règles de la bienséance ; on le voit sympathiser avec l'entourage avec de l'entrain, de la bienveillance, de la ferveur ; son esprit est indulgent, tolérant, ouvert ; il éprouve le plaisir de s'épancher, de se faire apprécier, de rayonner, de s'épanouir librement... En un mot, c'est un être qui vit en pleine syntonie avec son milieu, à travers lequel son Moi se prolonge indéfiniment.

Certes, il peut plus ou moins échouer dans son élan de participation, dans sa fièvre dionysiaque. C'est cependant par le jeu de ce dynamisme intégrateur que le sagittarien fonde son équilibre psychologique ; il a besoin d'une certaine dimension : il lui suffit amplement de vivre sa grandeur au-delà de lui-même, dans un investissement « affectif » qui peut s'étendre à l'infini, dans les créations sociales, les mouvements culturels, les institutions... auxquels il participe. Mais que ce sentiment d'accord symphonique lui soit plus ou moins refusé, pour différentes raisons, alors, c'est le Moi exclusivement qui devient le siège de ce processus d'expansion, d'inflation. On peut, de ce fait, assister à la boursouflure égocentrique d'un être aux aspirations et prétentions seigneuriales. Tout va alors dans le sens de l'ivresse et de la grandeur pour soi-même ; à l'extrême, c'est le délire de puissance du génie méconnu qui se retranche dans une vanité froissée, dévisage le monde avec une âme méprisante, et qui, du haut de son perchoir, n'a que répugnance pour la médiocrité terrestre qu'il fuit comme il peut...

Il s'en faut pourtant que le délire de grandeur soit la rançon inévitable d'un tel refus d'intégration à l'univers. Le feu sagittarien peut aussi se consumer dans une révolte contre un aspect de cet univers, laquelle le fait accéder à cette démesure qui lui est de toute façon indispensable. Intégration ou révolte, tel est donc le dilemme qui se pose, expression du dualisme du signe.

En fin de compte, on peut classer les Sagittaire en deux grandes familles opposées suivant leur attitude fondamentale. D'un côté il y a le sagittarien assimilé qui s'intègre et se fond harmonieusement à son milieu; de l'autre se présente le sagittarien indépendant en rébellion contre l'emprise de ce même milieu. Si maintenant l'on se réfère à des valeurs typologiques connues, il est permis de rapprocher, dans le cadre de la classification de Kretschmer, le premier du type *cyclothyme* et le second du type *schizothyme*. Le sagittarien cyclothyme se présente en général dans le cas d'une dominante planétaire « humide » : Jupiter-Neptune-Vénus-Lune tandis que la dominante planétaire « sèche » : Saturne-Uranus-Mars-Soleil, conduit au sagittarien schizothyme.

Il est plus aisé d'entreprendre en premier lieu le portrait du second type, au profil découpé, et ensuite d'aborder l'étude du premier qui se différencie et s'éclaire en fonction de l'autre.

Un rebelle

Donc, que le Sagittaire domine dans un ciel où les planètes du type sec l'emportent, surtout dans un ensemble d'aspects dissonants c'est-à-dire de tension, et nous avons le sagittarien schizothyme[1]. Il appartient à cette race audacieuse qui, des Titans à Prométhée, cherche fortune contre les dieux mêmes, et semble voué à témoigner sauvagement dans le paroxysme de l'indépendance, de la liberté morale, du scandale.

D'instinct, ce sagittarien rebelle s'insurge contre la vérité de son milieu et se comporte comme un inadapté en rupture avec la réalité qui le cerne et veut s'imposer à lui. Son besoin d'émancipation prime tout et comme il lui faut une certitude, il affirme ses penchants, réclame ses droits et s'impose avec autant de générosité que de rudesse. De bonne heure, il est en lutte ouverte contre les lieux communs, les habitudes courantes, et surtout les préjugés, les idées préconçues. Comme il a par ailleurs besoin de la flamme de l'exaltation morale, il cherche avec passion et fougue sa vérité jusqu'à ce qu'il en ait toute la clarté intérieure, qu'il en soit illuminé. Son goût de vivre est impérieux et ses ambitions bien déterminées. Rien d'équivoque chez une telle nature, d'une franchise brutale, d'un élan audacieux, d'une volonté insurrectionnelle et dont la passion vise loin d'emblée :

Je suis capable de produire du grand, du passionné, de l'énergique, du vrai, du beau enfin. (Hector Berlioz.)

Son activité se manifeste par bonds, par emballements, par coups d'audace; mais il connaît le découragement, l'abattement. Les ruades de ce pur-sang sont redoutables, ses colères bruyantes quoique fugaces, ses fièvres et ses rages de véritables tempêtes : il a besoin de se déchaîner périodiquement pour dépenser toute son ardeur, toute sa fougue. Tant qu'il n'a pas maîtrisé les réflexes de son élan vital, ce passionné essaie la détente de ses forces dans toutes les directions possibles, s'intéressant à beaucoup de choses, jusqu'à ce qu'il trouve la voie définitive pour s'y engouffrer.

---

1. Morphologiquement, il est généralement rétracté, mince ou maigre.

Personne n'a plus que lui besoin d'une direction précise; il est comme un arc tendu qui attend la cible; une fois qu'il est saisi par une destination, il centralise ses énergies, mobilise tout son capital de forces en vue d'un essor aux limites les plus reculées.

Un conformiste

Si le Sagittaire domine dans un ciel où l'emportent les planètes du type humide, surtout dans un ensemble d'aspects harmoniques, nous avons alors le sagittarien cyclothyme[1] qui se rapproche du type jupitérien.

Au lieu de s'insurger contre son milieu, il s'y sent à l'aise, s'y plaît et s'y épanouit; il en profite au maximum parce qu'il s'y prolonge. Il trouve que la vie est bien faite et ne fait aucun effort pour s'adapter aux circonstances extérieures : il est de plain-pied avec les gens, les choses, les lieux... Naturellement, il se conforme aux usages établis, est partisan de l'ordre, de la légalité, reconnaissant la suprématie du droit par la force. Partout, il admet la règle du jeu des conventions sociales et le sens de l'honorabilité tient une grande place chez cet être qui prise la considération de l'entourage et est désireux de distinction, de prestige, d'égards. Il incline vers un conformisme confortable. Cette nature épanouie est faite pour le bonheur :

---

1. Morphologiquement il est généralement dilaté, plutôt gras.

A Blenheim, j'ai pris deux décisions importantes : celles de naître et de me marier. Je suis profondément satisfait des deux.
(Winston Churchill.)

Sa force réside dans l'aisance de son jeu, dans son allant, son allure. Il lui est facile d'avoir du savoir-vivre et du savoir-faire, et par suite de se rendre sympathique. On le voit avant tout débordant de joie de vivre, plein de bonne humeur, optimiste, gai, démonstratif, exubérant, amoureux des nourritures terrestres et du confort matériel : c'est un euphorique. Sa sociabilité est étalée; il est humain, pacifiste, libéral, compréhensif, généreux, bienveillant, large dans ses idées et ses gestes. Il a un côté chevaleresque, une certaine grandeur d'âme. Droit, honnête, loyal, il aime jouer cartes sur table, sans arrière-pensée, avec une franchise plus diplomatique que celle de l'autre type. Sa conscience morale s'interdit toute bassesse, toute vilenie. Par rapport au type premier, celui-ci est beaucoup plus détendu; il est même assez décontracté et, par-delà ses phases cycliques d'exaltation et de dépression, il se présente sous un jour paisible et pondéré; par rapport à son entourage, il a souvent une influence apaisante, bienfaisante; il est capable d'une belle sérénité qu'il communique à ses proches.

Il est aisé de reconnaître dans ce portrait le type « Intégré » de Jaensch, vibrant à l'unisson avec son ambiance, sociable, prompt à s'enflammer aux enthousiasmes collectifs, vivant en étroite dépendance avec le monde extérieur, ayant « l'art de vivre ensemble » et s'y employant de son mieux...

En principe, ces deux personnages s'excluent l'un l'autre, mais l'observation des cas psychologiques démontre qu'ils peuvent dans une certaine mesure coexister chez la même personne dans des proportions diverses, de nombreux sagittariens étant des rebelles vivant et luttant pour plus de communauté ou des conformistes assez indépendants.

Il ne faut pas oublier que par sa structure complexe le Sagittaire tend à souder les énergies opposées et à présenter un être humain aussi complet que possible : à la fois bon vivant et plein d'aspirations morales ou religieuses, animé de fortes passions et cependant maître de lui, sollicité par l'aventure et attiré par la sagesse...

La même coexistence se présente, à des degrés variables, en ce qui concerne le sagittarien *extraverti* (dominante Jupiter, Mars, Uranus) et le sagittarien *introverti* (dominante Saturne, Neptune, Lune) qui forment cependant deux types spécifiques du Sagittaire. Il est vrai que les attitudes d'extraversion et d'introversion existent en tout être avec seulement la prédominance de l'une par rapport à l'autre, comme le jour et la nuit.

Vers l'aventure...

Dans la mesure où le rebelle prend le pas sur le conformiste et que la flèche vise un but extérieur (extraversion), le sagittarien se dirige vers l'aventure dans la rencontre avec le monde.

Cet accent se précise surtout si les forces animales (renforcées par des astres de feu comme Mars et Uranus) sont puissantes. L'être participe de la nature de ces titans et de ces centaures victimes des sirènes aux chants desquels ils ne purent résister ; sa puissance sensorielle l'entraîne vers un au-delà extérieur, avec la nécessité d'une victoire sur ses illusions enchanteresses.

Alors, l'instinct d'expansion exige le déroulement d'une activité débordante, qu'elle soit d'ordre physique, émotionnel ou mental. Sa nature passionnée, combative et violente, a besoin de s'épanouir dans une expérience indépendante et sauvage où sa sensibilité frémissante trouve son compte. Son feu intérieur a la fougue de l'ouragan et va au-devant des tempêtes de la nature et de la société. On voit donc sa sensibilité s'enflammer pour des idées grandioses ou pour des actions héroïques. Cette exaltation a le goût des projets étincelants, des entreprises prestigieuses, des splendeurs furieuses.

Non sans orgueil, cet être aime le risque et brave le danger : il est fait pour l'aventure. A un degré moindre, il se contente d'un régime de vie athlétique : les exercices de plein air, le camping, le sport, la chasse, l'équitation et leurs prouesses... C'est quelquefois la pratique exclusive d'une seule activité sportive : ski, escrime, saut... ou l'entraînement du judo mené jusqu'à la maîtrise et la perfection morales. Mais pardessus tout, il a une passion favorite : voyager. Sa grande détente, c'est de voir du pays; son tempérament nomade l'incite à partir sac au dos, à enfourcher une moto, à filer à pleine allure en voiture sur une route libre et large, ou encore à fréquenter avions et bateaux, parcourant les provinces de son pays et franchissant les frontières, étudiant les langues étrangères et compulsant des guides touristiques. Ce grand remuant est un explorateur-né qui se lance dans l'inconnu, infatigable dénicheur de coins pittoresques, toujours à l'affût d'horizons nouveaux :

Partir d'où l'on veut, quand on veut, et arriver où l'on veut, quand on veut.
(Jean Mermoz.)

Naturellement, cette tendance sagittarienne peut plus ou moins se dégrader. Privé d'un suffisant coefficient d'activité, l'être peut se contenter des voyages d'imagination en lisant des livres d'exploration, des romans d'aventures, des westerns... L'évasion peut se dégrader au point de ne plus être élan vers le lointain mais attrait du risque plus ou moins absurde, soumission au hasard quand il y a un enjeu important et notamment passion dévorante du jeu... C'est la forme d'échec du sagittarien.

C'est bien pourquoi l'acte extérieur par lequel ce type tente d'échapper à son inquiétude intérieure et d'assumer sa démesure peut aussi bien en faire un chercheur d'or, un aventurier de mauvais aloi, qu'un intrépide conquérant ou un homme d'action plein de grandeur.

Rebelle ou conformiste, le sagittarien peut être tourné ve.. ses tempêtes intérieures sans pour autant les projeter dans les convulsions du dehors. Il représente le cas de la flèche qui vise une cible interne, l'être connaissant et vivant son aven-

ture dans la rencontre avec soi-même. Ce sagittarien introverti, souvent marqué par une dominante saturnienne, tente d'affirmer ses pouvoirs en domptant la fougue de son cheval intérieur; il appartient à la race des centaures bienfaisants et de Chiron le sage.

Son au-delà, c'est en lui-même qu'il le cherche, c'est dans l'atteinte de ses forces morales et spirituelles les plus élevées qu'il le trouve. Son élan est dirigé entièrement vers la connaissance, la culture, la perfection de soi-même, comme chez Beethoven qui retient la pensée célèbre de Kant :

La loi morale en nous, le ciel étoilé sur nos têtes.

Recherche d'un savoir, acquisition d'un pouvoir pour aller toujours plus loin, pour viser toujours plus haut, voilà la destination première de ce centaure à la réalisation d'un ordre, d'une harmonie ou d'une synthèse où la qualité de son être compte plus que tout le reste, sans se dissocier toutefois de sa portée sociale. Car en touchant son centre intérieur, il rejoint du même coup un centre commun à beaucoup d'autres. Finalement, qu'il soit artiste, savant, médecin, moraliste, idéaliste, religieux, philosophe... ce sagittarien peut devenir un sage à l'instar de Chiron, ou du moins il peut parvenir à la sérénité au bout de son voyage intérieur.

L'intelligence

Le sagittarien schizothyme a avant tout, on le conçoit, un esprit frondeur. Révolté contre son milieu, il est mieux placé que personne pour affirmer une indépendance de pensée, une liberté de jugement qui fait flèche contre les préjugés, les enseignements officiels et tous les conformismes intellectuels. Il est donc susceptible d'affranchir les autres du joug de pesantes traditions et de nuisibles routines, quitte à s'abandonner à la violence d'idées nouvelles plus ou moins audacieuses.

Le sagittarien cyclothyme est tout au contraire un esprit posé qui s'aligne sur les opinions bien-pensantes de son milieu ; ce qu'il a de mieux à faire, c'est de se montrer scrupuleux dans le choix des autorités qu'il invoque ou dont il s'inspire. Le type inférieur présente un certain côté « mou ».

Il se laisse aller à des généralisations prématurées, à des déductions qui manquent de coordination et de logique rigoureuses. Dans sa vision du monde, il accepte plus facilement la formule de la chance et du hasard que la fermeté du vouloir, de même qu'il se plie à l'impératif légal et social plus qu'il n'accepte la responsabilité du libre arbitre. Bref, il manque de rigueur et son intelligence n'est pas très rationnelle. Mais le type supérieur a un coup d'œil ample, une vision d'aigle; il est plus sensible à ce qui unit qu'à ce qui sépare, et son esprit sent mieux les ressemblances, les points communs entre les choses que leurs différences et leurs particularités. Cette vision globale est aussi le fait de la largeur de son champ de conscience; il sait embrasser dans le présent le plus grand nombre de données organiquement agencées; il est de ce fait celui dont le regard pénètre l'avenir avec le maximum de portée et de lucidité, bien qu'il sente plus qu'il ne l'analyse, l'ampleur des vues allant avec la précision de la vision.

Ces deux sagittariens ont besoin d'une certitude, d'une vérité intérieure qui les illumine; saisis par la force de sa cohésion morale ou intellectuelle, ils éprouvent une ferveur de communication; on les voit souvent propager leurs idées, susciter des conversions comme de véritables missionnaires; leur esprit apologétique est enclin au prosélytisme.

Naturellement, le type accompli du Sagittaire présente les plus riches dispositions de l'esprit. Il incarne les valeurs de ce signe porté vers la connaissance désintéressée de l'univers et dont la flèche symbolise l'envolée philosophique, religieuse, métaphysique ou mystique, dans le cadre d'un humanisme ou d'un universalisme spirituel. Cette intelligence sagittarienne répond à la définition pascalienne de l'esprit : « un mouvement pour aller toujours plus loin », et elle donne à sa pointe extrême ce que Nietzsche appelait le « penseur hyperboréen » qui respire à pleins poumons dans les atmosphères les plus raréfiées.

un pur-sang

Morphologie

Dans la mesure où le Sagittaire est puissant à la naissance et non altéré par une « influence » étrangère, il tend à s'exprimer morphologiquement par le *type chevalin*.

C'est naturellement le Sagittaire *schizothyme-leptosome* (Kretschmer) qui l'exprime le plus purement. Le visage humain se rapproche de la forme chevaline par son allongement et son étroitesse; projeté et « en lame de couteau », il donne parfois l'impression de fendre l'air. Il dessine un profil convexe accusé où la saillie du nez prédomine; c'est un peu le nez bourbonien mais il est plus allongé et plus projeté; il en est plus dynamique.

Ce type chevalin apparaît chez de nombreux sujets qui portent la signature sagittarienne à des titres divers, en dominante ou en sous-dominante : Barrès (Ascendant), Neville Chamberlain (Ascendant-Sagittaire), Charles V (Ascendant-Vénus-Saturne), Christine de Suède (Soleil-Lune), le grand Condé (Mars maître de l'Ascendant et dominant), Guynemer (Soleil-Vénus), Lanza del Vasto (Ascendant), Milton (Ascendant-Soleil), Robert Surcouf (Soleil-Lune-Mars), Emile Verhaeren (Ascendant)...

Quant au Sagittaire *cyclothyme-pycnique* (Kretschmer), il est le contraire d'un longiligne étroit et allongé. Comme un sanguin, il se dilate, se développe en largeur, et sa morphologie exprime une vitalité expansive, quelque peu bouillonnante

41

et débordante, une activité saisie par le besoin de mouvement, d'espace, de déplacement... Ce sagittarien se « jupitérise » : on le voit souvent avec une belle stature, un modelé plein, un profil arrondi qui s'épaissit avec l'âge ; le teint est coloré, le nez charnu, le menton gras, la barbe fournie qui compense une calvitie trop précoce. Churchill, Edouard VII, Fallières, Juin, Kipling, en sont des exemples représentatifs.

Démarche et mimique

La démarche ordinaire du sagittarien est plutôt rapide, aisée, élancée ; elle exprime, en même temps qu'une certaine liberté de mouvements, un besoin de remuer qui procède par bonds, par poussées successives.

Le rétracté a une allure fort libre et paraît très sportif dans sa manière d'être ; il ne s'embarrasse pas des convenances. Par contre, le dilaté est plus soigné et peut même avoir une tenue aristocratique.

Chez le premier, l'expression du regard témoigne d'un feu intérieur intense qui devient puissance de volonté ou passion fougueuse ; chez le second, elle irradie un accueil sympathique, bienveillant, affectueux. Chez l'un et l'autre, le regard atteste la noblesse de la pensée et la mimique est enjouée ; elle donne une impression d'entrain autant que de dignité, de simplicité alliée à une fierté naturelle.

Autant que le regard, la voix est persuasive car elle communique la chaleur des convictions, qu'elle le fasse avec modestie ou avec emphase.

Quant à la poignée de main, franche et cordiale, elle ouvre grandes les portes à un contact, un échange chaud et généreux. Elle met tout de suite à l'aise.

La rencontre du sagittarien est rarement décevante ; qu'il inspire au premier abord la liberté, la bonhomie ou le respect ; qu'il apporte sa foi ardente, sa passion tumultueuse ou le calme serein, sa présence est toujours humaine.

Santé

Dans la figure de l'homme-Zodiaque, ce signe est donné comme en rapport avec les hanches, le haut des cuisses, le bassin et leurs parties charnues, ainsi, prétend-on, qu'avec la thyroïde. Une curieuse tradition veut que souvent soient marqués de ce signe, ceux qui possèdent un organe surnuméraire, sixième doigt, palmature aussi (Jupiter s'était bien incarné dans un cygne) et les dents « en palette » (incisives exceptionnellement larges).

Signe d'une santé vigoureuse en général (de cheval, si l'on veut) et d'une carrure athlétique ! Souvent ces natifs ont tendance à développer la partie animale de leur corps d'abord, dans les exercices physiques les plus violents. Et ce sont eux que la vieillesse voit encore adonnés à la chasse, au golf ou à l'équitation, sports favoris du Sagittaire. Même les fillettes préfèrent user leurs fonds de culotte à monter aux arbres plutôt que sur les bancs de l'école, et se plaisent aux jeux et rixes des garçons. Parfois, ce sont de véritables *garçons manqués*, qui, plus tard, par leur assurance, leur stature, leur regard, leur timbre de voix, peuvent devenir de véritables chefs en concurrence avec l'autre sexe.

Les proportions du natif, bien équilibrées jusqu'à la maturité (âge jupitérien) ont ensuite tendance à faire place à un large embonpoint abdominal. Pour les hommes, c'est une « bedaine » plus ou moins expansive, une barbe carolingienne, que son propriétaire a coutume de caresser d'un air absent, ironique et majestueux! Hélas, surmontant le tout, il ne reste souvent qu'une couronne légère de fins cheveux, tout le sommet ayant une fâcheuse tendance à se déplumer très prématurément. Chez les femmes, c'est le jeu de Jupiter de préférer les formes trop généreuses; abdomen et chute de reins proéminents portent sa signature, ainsi que l'envahissante cellulite tant redoutée.

C'est que les désordres de santé du Sagittaire sont en rapport, non directement avec les organes de la nutrition, mais avec ceux du métabolisme, de l'assimilation, de la combustion ou des mises en réserve. Le foie, qui en premier y préside, peut être déficient, et ce qu'il ne brûle pas est rejeté vers les poumons (influence réflexe des Gémeaux). S'il survient un encrassement de ces émonctoires, c'est l'embonpoint de surcharge, sonnette d'alarme, trop souvent méconnue, que certains cultivent à plaisir. « Vivons bien, nous mourrons gras » ou « Il vaut mieux faire envie que pitié » sont devises du Sagittaire! Et pour peu qu'une planète maléfique intervienne, l'équilibre des volumes et des poids se trouve perturbé. Par le jeu d'engorgements, de phénomènes congestifs de source hépatique, se font jour des dermatoses, des irritations brûlantes, des éruptions, des troubles circulatoires portant plutôt sur le système veineux (veine porte du foie). Perturbations de la fonction biliaire avec présence dans le sang et l'urine de pigments et de sels biliaires, douleurs en ceinture, lumbago, sciatique, à point de départ au bassin, sont troubles spécifiques, et souvent aussi comme choc en retour de traitements trop radicaux ou mal appliqués. Des dysfonctions thyroïdiennes s'y ajoutent encore, soit comme causes, soit comme conséquences. C'est que la gourmandise, péché capital jupitérien, porte, non seulement à

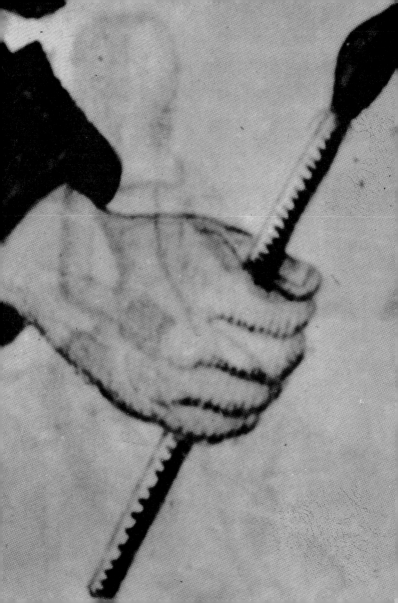

l'abondance alimentaire, mais à déguster des plats trop riches et savamment mijotés, exagérant ainsi l'apport de graisses que le foie se fatigue à « métaboliser » correctement, et que, lassé, il se contente de rejeter vers la réserve, au grand dam de la sveltesse, de l'agilité et de l'état des vaisseaux sanguins dans cette région pelvienne où les phénomènes compressifs prennent une grande importance.

Des maladies à processus inflammatoire dont l'ampleur a de quoi surprendre, des fièvres brusques et fortes se dissipant rapidement et spectaculairement, mais sujettes à rechutes (feu couvant sous la cendre) car aux sagittariens, la récupération est parfois assez difficile vu l'état du foie.

L'homéopathie affecte à ce signe le Silicium, auquel ses statistiques reconnaissent en effet 8 % d'assujettis, soit un signe en répartition moyenne des naissances. L'étain ou ses dérivés, voués à Jupiter, s'opposent également chez eux à toute invasion parasitaire ou la guérissent. Comme remèdes naturels, les tisanes, de préférence riches en silice, que l'on boit hors des repas et qui éliminent les déchets : feuilles de fraisier ou de frêne ou de cassis additionnées de prèle, dit-on. L'aloès, prémunisant contre les conséquences des excès de table. Précieuses fraises, poires et autres fruits riches en silice, ainsi que certaines eaux minérales silicatées.

Le sagittarien va souvent plus loin que ne le lui permettent ses forces, il devra veiller à un repos marqué, par exemple, à une sieste méridienne, et éviter les refroidissements, surtout pendant la digestion.

A ces malaises, points noirs sur un fond enviable, existe sur le plan psychique, une compensation ; la jovialité du Sagittarien ne s'embarrasse pas des phantasmes du Scorpion, et ne cultive pas la neurasthénie ni même le simple ennui. Sauf les dissociations en rapport à des maléfices accessoires, le Sagittaire bien marqué peut évoluer surtout vers une inflation de son *ego* et, à la limite, assumer par outrance une mégalomanie plutôt joyeuse. Esprit vif et saisissant par synthèse immédiate tout ce qui frappe les sens, il reste, en général, *bon public* en toutes circonstances. Il le montre, souvent, en aimant à plaisanter de ses maux.

47

Habillement

La façon dont la femme du Sagittaire s'habille dépend de ses rapports avec son milieu ambiant. Avec elle, on a assurément deux types féminins tout à fait opposés :

Il y a l'indépendante qui se conduit en réaction contre son entourage. Ce qu'elle préfère, c'est la liberté de la fantaisie, mais l'usage qu'elle en fait la conduit en général au débraillé, ou tout au moins à « l'allure scout », à la tenue sportive : jupes droites en tweed, blousons de daim et de cuir, pantalons, chaussures de marche, socquettes, cheveux courts... On pense tout particulièrement à la reine Christine de Suède qui se plaisait en costume d'amazone et dont la simplicité contrastait avec le luxe déployé par les grandes dames de la Cour.

D'un autre côté, il y a la femme bien-pensante qui se veut être une dame de société et aspire à vivre dans le monde. Elle se réfère à la coutume et adopte le ton *comme il faut* ; ses goûts reflètent les manières élégantes de la bonne éducation. Si elle force la note, elle penche vers la beauté parfaite qui l'achemine sur une perfection distante, une classe qui la rend inaccessible ; ou bien, elle montre une disposition à l'étalement d'un luxe exhibitionniste : manteaux de fourrure, coiffures relevées, colifichets, bijoux spectaculaires... Les normes courantes de cette femme vont du style Mme de Maintenon, toujours honnêtement vêtue, à celui de Mme Récamier, la « dame en blanc » aux beaux atours et à l'élégance aristocratique.

La même opposition se découvre chez les hommes du Sagittaire. Les uns fuient les milieux cérémonieux et adoptent par goût les habits rustiques et sportifs : le béret, le pull-over, la culotte de velours... Les autres sont corrects, voire recherchés.

Au souci de la bonne présentation, le sagittarien jupitérisé adjoint la fierté de porter une décoration, une distinction honorifique.

Greta Garbo dans le rôle de la Reine Christine.

Solstice deste.

Equinoce daultonne.
Six signes par lesquelles le soleil descend
du solstice deste au solstice dyuer.

Equinoce de printemps.
Six signes par lesquelles le soleil monte
du solstice dyuer au solstice deste.

Solstice dyuer.

TYPES MIXTES DU SAGITTAIRE

Nous connaissons notre signe solaire et nous pouvons connaître notre signe Ascendant. Les valeurs de ces deux signes se combinent pour individualiser la formule psychologique de chacun. C'est cette association particulière que nous définissons ici.

SAGITTAIRE-BÉLIER *Ascendant Sagittaire et Soleil Bélier*
ou *Soleil Sagittaire et Ascendant Bélier.*

Le tempérament de feu s'exalte et s'ennoblit en tentant de conquérir les hauteurs ou d'explorer le lointain. La nature est spontanée, avide de liberté, éprise d'idéal, avec un certain sens de l'envolée. Elle cherche à conquérir par sa verve entraînante, son éloquence, sa foi de missionnaire. Elle aime les combats héroïques, les grandes aspirations, les entreprises prestigieuses (Honegger, Zola).

SAGITTAIRE-TAUREAU *Ascendant Sagittaire et Soleil Taureau*
ou *Soleil Sagittaire et Ascendant Taureau.*

Cette combinaison fait triompher les tendances dionysiaques et la participation à la vie de la nature. Cette communion avec la vie universelle conduit à l'exaltation voluptueuse et sensuelle de la personnalité ou à son exaltation morale et spirituelle (Beethoven).

51

SAGITTAIRE-GÉMEAUX   *Ascendant Sagittaire et Soleil Gémeaux.*
            ou   *Soleil Sagittaire et Ascendant Gémeaux*

C'est par excellence la constellation de la dualité intérieure, de la division, du dédoublement, voire de la dissociation de la personnalité. L'être est habité de ces deux individualités contradictoires; d'où incertitude, indécision, mobilité, adaptabilité, fantaisie, duplicité ou comédie. Le type supérieur peut concilier les antithèses internes et centraliser son esprit créateur sur une large composition synthétique (Gérard Philipe, Musset, Schumann).

SAGITTAIRE-CANCER   *Ascendant Sagittaire et Soleil Cancer*
            ou   *Soleil Sagittaire et Ascendant Cancer.*

L'instinct migrateur est profond et il s'exprime par le goût nomade des voyages, aventures et expéditions; mais on reste attaché à ses origines, à sa famille, à sa résidence; le désir de circuler doit se concilier avec le goût du home et du confort bourgeois. La sensibilité cherche une envolée vers la sphère idéale et peut s'exprimer en noblesse d'âme, en philanthropie, en foi généreuse, en bonté répandue (Corot).

SAGITTAIRE-LION   *Ascendant Sagittaire et Soleil Lion*
            ou   *Soleil Sagittaire et Ascendant Lion.*

Cette nature rayonne par sa chaleur intérieure communicative, par la force intime de ses convictions et son assurance naturelle; ses sentiments sont chevaleresques et peuvent s'enflammer pour de grandes causes. La dignité léonine a besoin de s'épanouir dans une morale spontanée (Raimu) ou de communier dans un idéal (Shelley) sinon, la force dominatrice déploie ses tentacules à l'infini (Rockefeller).

SAGITTAIRE-VIERGE   *Ascendant Sagittaire et Soleil Vierge*
ou   *Soleil Sagittaire et Ascendant Vierge.*

La morale est le pivot de ce caractère marqué par le souci d'agir honnêtement, en accord avec sa conscience, et d'aller vers la réalisation pratique d'un idéal spirituel teinté de pureté. Quelquefois deux natures se combattent en l'être, l'une médiocre et l'autre olympienne (Jaurès, Mme de Maintenon).

SAGITTAIRE-BALANCE   *Ascendant Sagittaire et Soleil Balance*
ou   *Soleil Sagittaire et Ascendant Balance.*

Dans cette rencontre s'associent le plus souvent les valeurs sociales et les valeurs morales; l'aspiration vers le monde est élargie par l'élan culturel, moral et spirituel, et le sens social est l'expression d'un idéal ou d'une éthique. Le caractère est empreint de générosité, de grandeur, de noblesse, en voulant être avant tout humain (Gandhi, Bossuet).

SAGITTAIRE-SCORPION *Ascendant Sagittaire et Soleil Scorpion*
ou *Soleil Sagittaire et Ascendant Scorpion.*

Le sentiment d'indépendance domine, et il est l'expression à la fois d'un amour profond de la liberté et d'une indiscipline foncière; au besoin, on se battra pour lui jusqu'au bout. Les passions sont impérieuses, souvent dramatiques, mais si le sujet connaît, à sa manière, sa « saison en enfer », il tend vers le monde serein de la paix et de la vie spirituelle (Berlioz, Churchill, Condé, Heine, Luther, Racine, Rodin).

SAGITTAIRE-CAPRICORNE *Ascendant Sagittaire et Soleil Capricorne*
ou Soleil Sagittaire et Ascendant Capricorne.

Les ambitions capricorniennes sont canalisées vers la conquête de vastes horizons ou disciplinées en direction d'une ascension sociale ou spirituelle élevée. Ce caractère a besoin d'une grande passion pour donner un plein sens et un sens unique à sa vie de moissonneur, de missionnaire, d'ambassadeur, de chef (Kipling).

SAGITTAIRE-VERSEAU *Ascendant Sagittaire et Soleil Verseau*
ou *Soleil Sagittaire et Ascendant Verseau.*

La personnalité tend à s'accomplir dans un idéal où l'être se donne avec passion à des aspirations et réalisations neuves, hardies, généreuses, exaltantes. Il a besoin d'un empire où son amour de la liberté s'exerce à innover, réformer, proposer ou apporter des solutions originales. Sa personnalité s'efface devant le pouvoir de son rôle, de sa mission, de son don; il est capable de prosélytisme (Beaumarchais, Léon X, Mozart, Robespierre).

SAGITTAIRE-POISSONS *Ascendant Sagittaire et Soleil Poissons*
ou Soleil Sagittaire et Ascendant Poissons.

Les deux signes jupitériens réunis accusent la force, l'ampleur, la puissance, la grandeur de la personnalité, toute en expansion, portée vers de vastes réalisations ou vers des idées ou des sentiments sublimes. Goût du gigantesque, sens humanitaire ou passion mystique, l'être recherche la plus grande dimension afin de s'y épanouir (Lindbergh, Clément VIII, Jules III, Léon XIII).

PARAITRE

SAGITTAIRE ET AUTRES SIGNES

Un Sagittaire et un Bélier s'entendent bien, le premier pacifiant le second et ce dernier, dynamisant le premier.

Un Sagittaire et un Taureau peuvent s'apprécier dans une sorte de communion dionysiaque de la vie ; leur contact est sain mais il demeure souvent superficiel.

Un Sagittaire et un Gémeaux ne parlent pas le même langage et ont une vision étrangère des mêmes réalités ; ils peuvent toutefois communier dans l'amour des voyages.

Un Sagittaire et un Cancer ont assez peu de points communs si ce n'est l'amour possible des voyages, mais ils peuvent trouver une harmonie sur le plan moral.

Un Sagittaire et un Lion ont les affinités du trigone : l'un et l'autre sont en accord idéal pour des réalisations vastes.

Un Sagittaire et un Vierge sont peu empressés à s'unir, n'ayant ni la même dimension ni le même sens de la vie, mais ils peuvent trouver un terrain commun dans le domaine moral.

Un Sagittaire et un Balance éprouvent vite une sympathie partagée et trouvent dans leurs échanges des satisfactions communes, d'ordre social et moral.

Un Sagittaire et un Scorpion ne sont pas très bien assortis, mais ils ont en commun le goût de l'indépendance et de l'aventure qui peut devenir leur trait d'union.

Un Sagittaire et un Capricorne n'ont pas un contact immédiat facile ou heureux mais arrivent à se compléter utilement ; leurs entreprises sont à longue portée.

Un Sagittaire et un Verseau communient vite dans une foi ou un idéal pour lequel ils donnent leur mesure de générosité et d'humanité.

Un Sagittaire et un Poissons ont beaucoup d'affinités et de goûts communs, mais leurs attitudes et réactions sont dissemblables, d'où des malentendus et des conflits.

Il est bien entendu que ces indications n'ont qu'une valeur de principe, trop générale pour témoigner de la qualité particulière de telle relation privée, qui relève du rapport des deux constellations en présence.

PRIMO LACIRCVCISIONE NXP + VIGILIX VI TRE MAGI + S PAVLO P HEREMITA VIIS ANTONIO ABATE XS SEBASTIANO XIS AGNESA XV LACONVERTION D S PAVLO +	FEBRAIO D XXVIII LVNA XXVIII ADI DVA S MARIA DELE CANDELE + ADI IIIS BLASIO MARTIRE ADI V S AGHATA ADI X S SCOLASTICA VERGIN ADI XIIIIS VALENTINO MARTIR ADI XXII S PIETRO INCADREGHA ADI XXIIII LAVIGILIA ADI XXIIII S MATIA APOSTOLO
O ADI XXXI LVNA TRENTA IIS PERPETVA E FELICITAS IIIS QVADRAGINTA MARTIRE S GREGORIO PAPA IIS BENEDETTO ABATE XV LANVNCIACIO D S MARIA 1511 1512 1519 ADI 20 A AD 27 A	A PRILL ADI XXX LVNA A ADI XIIIS SBVRODE VALERIA ADI +XXIII S SORSO ADI +XXV S MARCO ET VANGELIST ADI XXVIII S VITALE MARTIRE ADI XXVIIII S PIETRO MARTIRE ADI 1514 1515 1516 1517 ADI 16 ADI 8 ADI 23 ADI A M A
O ADI XXXI LVNA XXX SIACOPO E FILIPPO + ILA T VENEIONE DI S CROX S GOVANNI PORTA LATINO LAPARICION DS MICAEL IIS BONIFACIO MARTIRE S VRBANO O SEANOBI PISHOPE E COFOR XIS PETRONILLA VIROINIS	GVGNO D XXX LVNA XXVIIII ADI DVA S ERASMO ADI+ XI S BARNABE APLI ADI +XIII S ANTONIO DAPAD ADI XVIIII STORV GERVASI ADI XXIII VIGILIA ADI XXIIIIS GOVANI BATISTA ADI XXVI SXORV IOHAIIS EPAV ADI +XXVIIII S PIERO ET S PAVLO
ADI XXXI LVNA TRENTA S CVIRICI E IVLTE S MALGHARITA XII S MARIA MADALENA XIII S APLINARO ES BRIGIDA XIIIS CRISTINA E VIGILIA XV SIACOPO APLIO S XPEANO XVIIS PANTALEONE MARTIRE X SABDON ET SENE	AGHOSTO DI XXXI LVNA XXVIII ADI P S PIERO TVINCVLA ADI TRE LATVENEIO DI S STEFANO ADI X S LAVRENCIO + ADI XII S CLARA ADI XV S MARIA + ADI +XXIIII S BARTOLOMEO XBI ADI XXVIIII S GOVANI DICOLAT
RE ADI XXX LVNA XXX II LANATIVITA D S MARIA + IIIL AESVLTACIONE D S CROCE VIGILIA S MATEO APLO EVANGELISTA S MARICIO MRE S IVSTINA VI S COSMA E DANIANE XVIIIS MICHELE +	OTOBRE ADI XXXI LVNA XXIIII ADI P S REMIGIO ADI IIII S FRANCESHO ADI VIIII S DIONISIO MARTIRE ADI XVI S GHALLO ABATE VANGELI ADI XVIII S LVCA VANGELISTA + ADI XXI S VRSOLA COLA SVA COPAGNI ADI XXVII VIGILIA ADI XXVIII S SIMON E S IVDA +
RE ADI XXX LVNA XXX TVTI I SANTI LEGARDO COFESOR S MARTINO COFESOR + IIS ELISABETA S CICILIA VERGINE S CLEMENTI PAPA S CATERINA VIRGINE S ANDREA APLO +	DICENBRE D XXXI LVNA XXIIII ADI VI S BARBERA ADI VI S NICOLAO CONFESOR ADI VIII LACOPTIOE DI S MARIA + ADI XIII S LVCIA VERGINE ADI XXI S TOMAS APL + ADI XXV LANATIVITA D XP + ADI XXXI S STEFANO P MARTIR ADI XXXI S SILVESTRO PAPA

l'amour noble

Le feu amoureux du Sagittaire n'a rien de la foudre du Bélier ni de la flambée royale du Lion; il est de la nature du brasier qui couve sous la cendre, intérieur comme la ferveur amoureuse.

Pour le sagittarien introverti, l'amour et le spirituel ne font qu'un; le premier n'est que le moteur du second : aimer Dieu à travers l'être élu. A un degré moindre, il devient l'exaltation morale de l'existence, l'artère centrale par où s'engouffre ce que l'individu a de meilleur. Même s'il est — ce qui est fréquent — une fièvre qui témoigne des passions les plus impérieuses, il porte en soi une vertu de grandeur qui exalte l'âme. Ce Sagittaire ne peut aimer que dans cette région éthérée. Au niveau de la vie quotidienne, son sentiment prend l'aspect d'une affection sincère et chaude, d'une bonté généreuse et débordante, mais il n'est pas rare qu'il s'ennoblisse au point de se confondre avec un idéal religieux ou d'aboutir à une communion mystique.

Pour le sagittarien extraverti, l'amour est aussi, à sa manière, un transport qui tend à rompre les mesures de l'être, une exaltation en feu d'artifice; mais sa flèche vise dans la direction de l'horizontale plutôt qu'elle n'affronte la verticale. C'est un amour d'émancipation dionysiaque, éprouvé comme un risque, un sport, une aventure. Il rompt des lances contre la société qui met des barrières à son champ d'exploration, et

Apollon et Centaure
(détail d'une fresque de Pompéi), Musée de Naples.

son « vin » communique une ivresse illimitée; ici c'est l'amour et le monde qui sont à l'unisson : communier avec la nature et se projeter dans l'univers à travers l'être aimé. Ce Sagittaire trouve son exaltation dans l'audace de sa conquête et sa grandeur dans le sentiment de liberté qu'elle lui procure. C'est aussi bien l'amour chevaleresque du seigneur qui dépose des lauriers aux pieds de sa madone, que l'exploit répréhensible du Don Juan aventurier.

L'HOMME

Si l'homme du Sagittaire est du type cyclothyme, l'amour prend avec lui le visage de la bonhomie. Ce jupitérien a le sentiment familial et social; le foyer, la femme et les enfants sont le centre de sa vie. Il a besoin d'une femme saine, mûre, épanouie, qu'il puisse imposer à ses relations; une femme qui soit aussi maîtresse de maison, qui sache bien tenir son intérieur et bien recevoir, et inculque une bonne éducation à ses enfants. Il se comporte ordinairement en mari bienfaisant, généreux et protecteur, et en bon père; il est le *pater familias*; il aime la famille et les joies du foyer. Mais il a aussi besoin d'occuper un vaste champ vital et d'étaler sa puissance virile; c'est pourquoi il peut arriver à certains, à l'instar de leur illustre prototype mythique, d'avoir des incartades conjugales; même si cela arrive, ils savent faire la part des choses et demeurent fidèles à leur foyer qui demeure leur centre affectif. Nous avons donc ici le visage de l'amoureux jovial et humain, qui donne confiance et apporte la joie, et dont la passion contenue entre dans l'ordre de son existence paisible. Tels étaient un Edouard VII, un Fallières...

Quand l'homme du Sagittaire est du type schizothyme, son sentiment s'affirme dans toute sa rigueur, il est un amoureux intégralement idéaliste qui ne transige pas avec sa passion. Son transport fiévreux se veut pur et total; il ne tolère ni doute intérieur ni altération extérieure; il a quelque chose d'impérieux et il vise à une expression aristocratique : c'est l'amour noble, l'amour sublime. Il réussit le plus souvent par le truchement d'un idéal commun, d'une passion souveraine : science, art, religion. Tels étaient un Berlioz, un Beethoven...

Mais le feu qui gagne ce sagittarien peut aussi prendre un caractère insurrectionnel. Son amour éclate dans une rébellion parce qu'il rencontre l'opposition du milieu social, les obstacles de la famille, de sa classe, de sa religion... Par réaction contre l'interdit social, ce sagittarien s'affranchit de la bonne morale et adopte une certaine licence de mœurs avec le plaisir de goûter des contrastes paradoxaux. Rien ne l'arrête plus sur le chemin de l'amour-protestation, de cet amour sauvage et rebelle qui lui fait vivre « la belle aventure ».

Centaure à la cour de Pirithoüs, Pompéi.

La femme du Sagittaire est susceptible de présenter bien des aspects, de la grande hétaïre à la dame patronnesse, de la virago à l'épouse parfaitement féminine. Il faut là aussi distinguer deux types féminins différents.

La femme du Sagittaire du type cyclothyme présente une féminité marquée par le sens de la dignité qui la fait s'épanouir dans la vertu, l'honneur ou la grandeur morale; Mme de Maintenon et, avec son complexe Saturne-Scorpion, Mme Récamier, en sont des exemples typiques. Le plus souvent, elle est portée vers une vie ordonnée, vers la forme de l'amour bourgeois, paisible et apaisant, dans une existence légale et régulière, avec un compagnon jouissant d'un certain crédit, d'une belle réputation. Par là, elle entend s'assimiler les bonnes manières et se conformer aux règles de la bienséance. Très respectueuse de son époux qu'elle désire voir comme le mari modèle, elle est tolérante, indulgente, avec beaucoup de largesse d'esprit; mais elle ne supporte pas d'être trompée et elle a horreur du scandale. Son rêve est d'avoir une vie ample, une maison rayonnante animée par l'ambiance de sa généreuse nature, une belle bibliothèque, un grand salon, des relations nombreuses et choisies; il lui faut du confort et la considération de son milieu. Elle est par ailleurs excellente éducatrice de ses enfants. Tant qu'elle est honorée, elle est heureuse, mais elle ne peut supporter la perte d'estime des autres, et de son mari en particulier. Chez une telle nature, si l'amour ne passe pas par le divin, si elle ne possède pas au cœur une flamme de spiritualité vivifiante, il tend à s'embourgeoiser.

La femme du Sagittaire du type schizothyme est souvent dans son enfance un véritable garçon manqué et, devenue adulte, il lui en reste quelque chose. Un des exemples les plus représentatifs est sans doute la reine Christine de Suède. Ce type féminin éprouve le besoin de jouer, de risquer, de braver la vie, voire de faire les quatre cents coups. Ce qui compte avant tout, pour cette nature, c'est d'éprouver l'ivresse de l'aventure, la griserie d'une existence mouvementée, la jouissance d'une vie indépendante. Elle éprouve peu le désir d'aliéner sa liberté dans une union qui la fixerait à jamais et garde le célibat aussi longtemps qu'elle le peut. Si elle se marie, c'est qu'elle a reconnu chez son compagnon le même feu dont elle est dévorée, son amour du large, sa soif de l'inconnu, de l'aventure, de la vie âpre et ardente... Peu importe si son union n'est pas agréée par sa famille; tant mieux, même, si son mariage est à quelque égard un scandale pour les âmes bien-pensantes. Mais son mariage ne réussit que dans la liberté respective des deux partenaires et sa vie n'est pas exempte d'instabilité. L'amour est pour elle un roman d'aventures.

LEURS PROBLÈMES

Les conflits les plus sérieux que rencontre le sagittarien dans sa vie amoureuse sont des conflits de classe, de milieu social, ou d'idéologie. Son danger est de vouloir embrasser le trop lointain, par exemple en épousant quelqu'un qui n'est pas de son rang, de son milieu ou de sa religion, d'où des heurts difficiles à surmonter parce qu'extérieurs à ses sentiments propres. Rien ne désagrège plus son union que des oppositions venant de l'éducation, de la formation intellectuelle, des principes moraux ou des conceptions religieuses. Le trop lointain qui l'attire prend souvent la forme d'une union avec une personne de nationalité étrangère; des problèmes d'assimilation se posent qu'il convient de surmonter. L'autre aspect du trop lointain est la tendance à l'idéalisation de l'amour et à placer l'objet aimé sur un piédestal, sinon à se rendre soi-même inaccessible; faire le trait d'union entre le rêve et le réel est tout le problème. En somme, on peut dire que s'il n'est pas simplement bourgeois, l'amour du Sagittaire est une grande trajectoire où le sentiment rencontre des écueils à la hauteur de ses ambitions.

le travail en équipe

Orientation

Le jeune Sagittaire placé devant le problème de son orientation professionnelle se sent poussé par un instinct d'expansion qui exige le déroulement d'une activité sur plusieurs fronts, musculaire, émotionnel et mental. De ce fait, il peut être tenté d'entreprendre une carrière qui soit au-dessus de ses moyens, en surestimant ses possibilités. Mais si son développement psychologique a été normal, il peut embrasser une profession qui réclame de l'envergure en raison des nombreuses tendances qu'elle met en jeu. Naturellement, rien ne lui convient mieux qu'une carrière libérale.

A quelque degré qu'il situe ses ambitions, il lui faut tenir compte des nécessités que sa personne doit satisfaire dans l'exercice professionnel. D'une part, elle ne doit pas être contrée dans son besoin de dépense physique, et un métier lui convient d'autant mieux qu'il peut ressembler à un sport, avec son jeu de tension et de détente musculaires. D'autre part, elle doit y épanouir une certaine aptitude morale : il s'agit de pouvoir témoigner de son sens social, la profession lui convenant d'autant mieux qu'elle est une pratique de perfectionnement, un engagement de la conscience vers plus de spiritualité.

Ces deux aspirations satisfaites, il est préférable que le sagittarien s'oriente vers un travail varié, polyvalent ou itinérant. L'uniformité lui fait perdre le goût de l'effort et la

67

Georgius Zothorus,
Livre d'Astrologie.

médiocrité le décourage; il sera donc d'autant plus assidu et présent dans son travail que celui-ci lui offrira des ressources en matière de renouvellement; surtout s'il ne perd jamais de vue le sens constructif, édificateur, de son effort.

Naturellement, comme pour tous les signes, l'éventail des professions du Sagittaire est fort large; mais on peut dresser une liste provisoire de celles qui nous paraissent les plus spécifiques.

Professions

Tendances : Besoin d'indépendance ou besoin de solidarité; affirmation, désir de paraître, de jouer un rôle.

Fonctions : Entrer en contact, parler, joindre.

Objets : A des titres divers, les chevaux, les animaux, le bois, l'étranger, le lointain.

Actions : Relier, ordonner, coordonner, organiser, légiférer, représenter, répandre, distribuer.

Lieux : Haras, étables, sporting, gymnases, compagnies de transport, agences de tourisme, ambassades, barreau, ministères, églises, milieux culturels et spirituels.

Solutions :

a) Chasseur, éleveur, maquignon, activité équestre...;

b) Menuisier, ébéniste, cuisinier, hôtelier;

c) Voyageur de commerce, représentant, interprète, exportateur, négociant en gros, publiciste, enquêteur, reporter, explorateur, missionnaire;

d) Éducation physique, assistance sociale, médecin, chimiste, ingénieur, pédagogue, avocat, juge, politique, ecclésiastique.

Attitudes au travail

Dans le travail, le sagittarien apporte son élan, son entrain, sa générosité. Ce n'est pas un gros « bûcheur »; son rythme est d'ailleurs assez discontinu, mais il sait donner à son effort un cours régulier et il sait le rendre très efficient.

Il a souvent besoin, pour travailler, de la présence d'autrui. Il s'engourdit seul devant sa table ou devant son outil; il lui faut, pour s'animer, la rumeur multiple d'un vaste atelier, d'un chantier, d'une équipe, d'une ambiance... Il est fait pour travailler en groupe; il a du reste l'esprit de collabo-

ration. Ce n'est pas seulement pour cette raison qu'il réussit mieux le travail collectif que le travail solitaire; il s'épanouit dans l'émulation qu'il voit comme une compétition sportive; d'autre part, il cherche souvent à y satisfaire un besoin d'ingérence, d'organisation, de coordination, pour peu que Jupiter soit derrière le signe; il peut alors faire preuve d'une activité bouillonnante qui entraîne les autres dans son sillage.

On le voit, à sa tâche, avec un robuste bon sens, un coup d'œil rapide, une vue large qui contrôle les grandes lignes de son action en même temps qu'une vue claire des causes et des effets ultérieurs dans leurs détails, une expérience des faits, un sens des hommes et une énergie pratique d'une grande souplesse. Avec ses subalternes, il est paternaliste ou autoritaire; avec ses égaux, il adopte une attitude de camarade très scout; envers ses supérieurs, il peut aussi bien être respectueux qu'indiscipliné.

D'une manière générale, il réussit par sa bonhomie, sa sociabilité, la facilité de son verbe. Il n'empêche que sa carrière est souvent mouvementée et aventureuse; mais en dépit de fluctuations fréquentes, la réussite est assez largement obtenue et parfois avec d'amples moyens.

Le sagittarien schizothyme a une réussite plus difficile. Il ne sait pas créer l'ambiance constructive, un peu artificielle, qui convient aux grandes affaires; il est du reste trop intransigeant, trop moraliste ou trop idéaliste, pour tirer tout le profit de situations qui se présentent. Mais il peut aussi devenir un casse-cou populaire, hardi et téméraire, aux actions prestigieuses; il connaît alternativement la bonne et la mauvaise fortune.

Le sagittarien cyclothyme a plus de chance, surtout s'il est jupitérisé. D'un commerce agréable, d'un naturel confiant et optimiste, il a le geste facile, la main large, la juste mesure; de ce fait, il donne bonne impression et inspire spontanément confiance; on vient droit à lui et il crée, dans la mesure où il est à l'aise, cette atmosphère « portante » qui provoque les occasions et soulève les sympathies, les faveurs, les protections : la réussite lui est facile. Il a toutefois une faiblesse : celle d'incliner vers l'insouciance, la facilité, le laisser-aller, de s'endormir sur le profit ou le succès, de s'avachir.

Finances

L'attitude du Sagittaire vis-à-vis de l'argent varie du tout au tout suivant qu'il s'agit d'un schizothyme ou d'un cyclothyme.

Le sagittarien schizothyme est plus préoccupé par les valeurs spirituelles que par les biens matériels, à l'égard desquels il montre et éprouve un certain détachement. Mais sa force morale se développe souvent au détriment de sa puissance d'incarnation physique; la répartition de son capital d'énergie est telle qu'elle sert généreusement les régions de sa vie spirituelle, laissant le reste pour l'édification matérielle de l'existence. De ce fait, gagner de l'argent n'est pas son fort; il ne sait pas créer autour de lui l'atmosphère des affaires et il ne se laisse pas porter par les choses : il est trop indépendant pour ne pas se tendre quand il faudrait se dilater, pour adhérer alors qu'il se réserve. Bref, il n'est pas homme d'affaires, mais il sait fort bien se contenter de ce qu'il a et, s'il a peu, il ne connaît pas le sentiment de frustration financière.

Tout autre est le sagittarien cyclothyme à tendance jupitérienne. Dans la répartition de ses forces, le gros du capital est destiné à l'étalement dans la matérielle. Il a besoin d'un certain train de vie et s'emploie de son mieux à conquérir de la fortune; il veut posséder des biens et jouir du confort matériel : une vie bien bourgeoise, voilà son idéal! Si la bonne fortune le favorise, il faut dire qu'il sait faire ce qu'il faut pour cela; il reçoit, il sort, il fréquente beaucoup; il sait « faire mousser » ses affaires. Là où un autre échoue, lui réussit et la conquête financière est son fort.

Il existe des sagittariens des deux groupes qui ont la passion du jeu et de la spéculation; ce sont des aventuriers possédés par le démon du risque; c'est là que s'exprime la démesure du signe. Leur fortune suit en général une courbe « en dents de scie » et leur destinée est parsemée de coups de chance insensés et de « tuiles » retentissantes.

La roue de la fortune (manuscrit latin, Oxford).

FORTVN

EXISTER

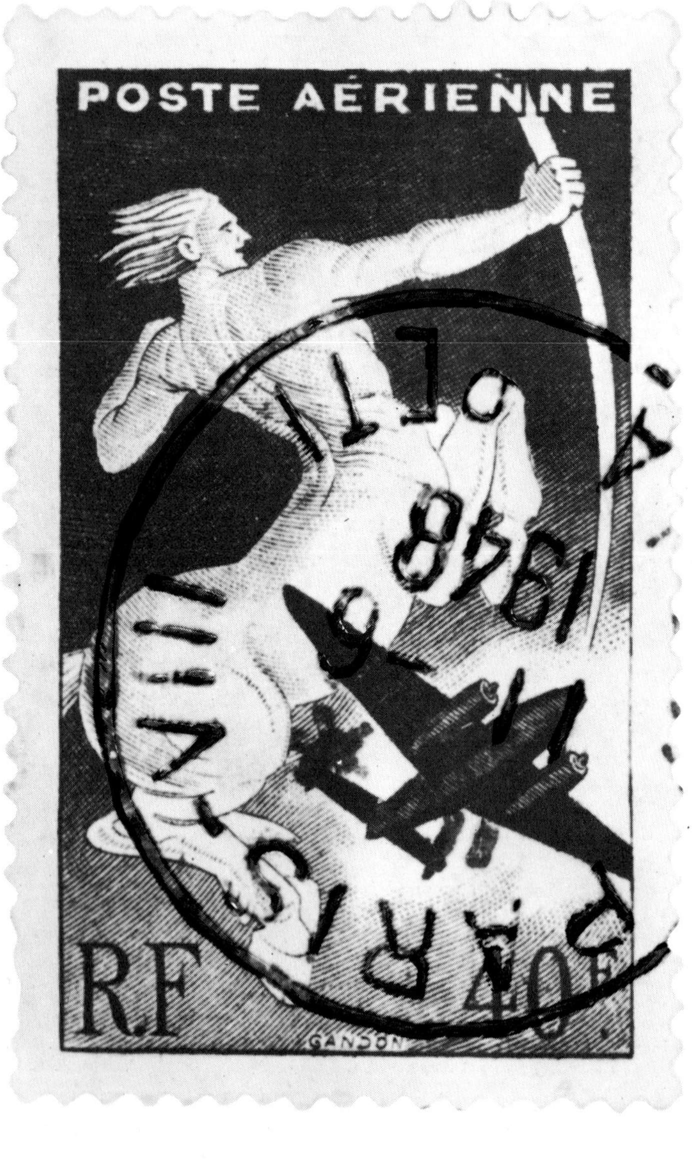
POSTE AÉRIENNE
R.F
40F
GANDON

petit dictionnaire des gens du Sagittaire

Voici quelques-uns des principaux membres de la grande famille des notabilités du Sagittaire.

Après l'analyse que nous avons faite de ce signe, il n'est pas surprenant d'y rencontrer des voyageurs, explorateurs et aventuriers de la route et du large : Guynemer, Lindbergh, Lesseps, Mermoz, Surcouf, Sven Hedin...

Il n'est pas non plus étonnant d'y voir maints penseurs et philosophes : Bayle, Engels et Spinoza parmi les plus représentatifs.

Dans le domaine de l'action, il donne des conquérants et « hommes à poigne » qui se lancent dans de grandes aventures de combat : Churchill, Clemenceau, Condé, Gustave-Adolphe, Franco, Pilsudski... La politique répartit ses sujets soit du côté de l'indiscipline, de la révolte (Christine de Suède, Marie-Stuart, Poujade), soit du côté des adaptés qui penchent vers le conformisme officiel (Edouard VII, A. Fallières, Mme de Maintenon, Mme Récamier).

Nous le disons plusieurs fois dans le courant de ce volume : le Sagittaire est le signe des grandes aventures aériennes. Ne semble-t-il pas que l'Administration des Postes ait songé à cette « correspondance? »

Dans la généalogie des rois de France, si l'on met de côté Charles VI dont la folie n'était pas le fait de son signe, le prince le plus sagittarien est Charles V : ce centaure Chiron mérita en fait le titre de *sage*.

En ce qui concerne les arts, le Sagittaire apporte dans le domaine musical le spectaculaire jupitérien (Lulli), le gigantesque, le titanesque, la grandeur, le sublime (Beethoven, Berlioz, Brahms, Franck), comme il a inspiré le *Freyschütz* à Weber. En peinture, sa signature est plus difficile à dégager, quoiqu'elle éclate dans l'œuvre de Toulouse-Lautrec, comme on le verra plus loin. En architecture, la flèche du centaure aurait-elle inspiré à Eiffel la tour qui porte son nom ? Il est en tout cas natif du signe.

Dans le domaine des lettres, l'écrivain du Sagittaire ouvre les portes du lointain et fait apparaître le thème des voyages, imaginaires (Swift) ou réels (Flaubert, Heredia, Kipling, Nerval). Et quand ce n'est pas l'exotisme, c'est le thème moral ou spirituel qui triomphe (Eluard, Heine, Milton, Rilke).

Tous les sagittariens ne se ressemblent pas, certes. Il y a évidemment une distance énorme entre un martien de ce signe tout au déchaînement de sa tempête intérieure (Berlioz, Condé, Gustave-Adolphe, Néron), et un saturnien de ce signe tout en méditation ou en contrôle moral, en voyage spirituel (Spinoza); entre un jupitérien du Sagittaire, épanoui et bon vivant (Edouard VII, Juin), et un solarien du signe, plus affiné et plus spiritualisé (Milton, Rilke)... Mais aussi différents que soient ses membres les uns par rapport aux autres, une famille comme celle-ci n'a-t-elle pas ses airs de ressemblance ?

Ludwig van Beethoven

Baptisé à Bonn le 17 décembre 1770, Beethoven porte la marque d'une rencontre ou triple conjonction du Soleil, de la Lune et de Mercure dans le Sagittaire, et en opposition de Mars en Gémeaux, le Soleil entrant en conjonction du maître Jupiter à l'entrée du Capricorne.

La dominante Sagittaire-Mars fait triompher le feu — un feu qui exalte et qui consume — chez une nature déjà bien connue avec son caractère indépendant, fougueux, indompté, farouche et même sauvage. Son âme tourmentée se révolte, s'emporte, se cabre; et elle s'élève, portée au grand et au sublime, vers des cimes.

Cette indépendance sagittarienne, on la voit à l'œuvre dans la manière du musicien. Ne voulant écouter que l'ardent appel de son génie, il se soucie fort peu des règles et des usages; on le voit s'insurger contre les conventions et la rhétorique de ses prédécesseurs; après avoir subi l'influence de Haydn, il s'en libère. Son imagination l'emporte au-delà des traditions et des cadres établis, et son tempérament l'entraînera à une violence d'expression qui frayera le chemin au romantisme. Ce génie affranchi ira finalement à la recherche de sa vérité, de l'idée « étincelle volée à l'infini » (V. d'Indy).

Non moins sagittarienne est sa destination. Beethoven a deux passions : l'amour de l'art et le culte de la vertu, et il ne les dissocie pas. Son souci constant de perfection morale est à sa pratique musicale ce qu'est la métamorphose spirituelle de l'alchimiste à sa recherche du pouvoir sur la matière. L'art est pour lui occasion de transmuer le vil métal de sa psyché en or pur. On le voit du reste choisir des sujets moraux : *Fidélio* fait par exemple de la fidélité conjugale et de l'amour vertueux son idéal sentimental. Ce sont aussi des sentiments nobles qu'il fait triompher : l'enthousiasme pour la liberté, la foi en une humanité meilleure... Les thèmes de la bonté, de la fraternité et de la paix culminent dans sa *Neuvième symphonie* où il engage les hommes *à suivre hardiment leur route, comme un héros marche à la victoire.* L'exaltation de la joie morale éclate dans l'*Hymne à la joie* où le dernier *prestissimo* nous porte en pleine lumière sur un sommet. Si l'œuvre de Beethoven nous élève au-dessus de nos médiocrités et de nos misères, si elle nous transporte vers un au-delà de soi-même, c'est que sa trajectoire va de l'humain au divin spirituel. Elle réunit précisément les deux valeurs fondamentales qui composent le centaure; et en ce sens, il est probablement avec Bach, le Poissons, le musicien le plus complet.

Si son itinéraire va de la douleur aveuglante à la sérénité olympienne et si ce lourd paysan parvient à envahir le ciel de sa musique, c'est qu'il a d'abord en lui la puissance : celle — on ne l'a que trop répété — d'un titan. Avec son Jupiter du Capricorne, le maître de Bonn a les hardis coups d'ailes de l'aigle comme il en a le vol majestueux. Le Sagittaire est donc encore dans le cachet grandiose de sa musique, véritable monument du sublime. Il est fait pour la symphonie :

Quand j'entends quelque chose en moi, c'est toujours le grand orchestre.

Non seulement ses symphonies présentent la réunion de toutes les puissances musicales, mais encore elles ont souvent le caractère d'une proclamation à l'humanité entière. Le maître de la joie et du deuil, de l'intimité et du solennel — toujours la large facture du centaure — compose non pour une époque ou un groupe, mais pour tous les hommes de tous les temps. On ne saurait trouver formule plus sagittarienne que celle que la *VIIᵉ Symphonie* inspire à Wagner : « Beethoven se rejeta dans l'Océan sans limites, dans la mer de son infini désir. Mais ce fut sur un navire gigantesque, solidement charpenté, qu'il entreprit la course orageuse; d'un poing ferme il saisit le puissant gouvernail; il connaissait le but du voyage; il avait résolu de l'atteindre... Il voulait mesurer les limites mêmes de l'Océan, découvrir la terre qui devait se trouver au-delà du désert liquide. »

L'ampleur unie à la puissance, on voit Beethoven poser dans la musique tous les grands problèmes qui intéressent l'âme humaine : l'amour, la destinée, le désir de gloire, l'union avec la nature, la mort, la joie, le bonheur... Or, s'il excelle dans ces peintures qui mettent l'homme au centre de son œuvre, le libre jeu de ses images musicales fait triompher les mouvements de la passion. Et — voilà bien en quoi, une fois de plus, il est Sagittaire — ses plus belles inspirations deviennent des courses vertigineuses, des rondes échevelées de Bacchantes, des galopades de chevaux ou des marches militaires... (un critique avait prétendu expliquer le *scherzo* de l'*Héroïque* par une charge de cavalerie!). Le Beethoven Sagittaire-dionysiaque n'est pas seulement dans la *Pastorale* (son amour de la nature n'était pas, comme certains l'ont cru, un sentiment cancérien à la manière des rêveries d'un promeneur solitaire, sentiment de retour à la mère, mais un sentiment panthéiste d'intégration à la vie naturelle, de prolongement par participation à l'ordre universel); il est aussi et surtout — le feu sagittarien étant ici, en raison d'une certaine puissance uranienne, fondu au feu prométhéen — dans les tressaillements de *Prométhée*, les sursauts d'*Egmont*, les combats et élans impétueux de *Coriolan*, le déchaînement grandiose de l'*Héroïque*, les bonds et explosions furieuses de la *VII*e ; il l'est également dans la brûlante *Appassionata* : Lisez « *la Tempête* » *de Shakespeare*, disait Beethoven à propos de cette dernière œuvre... Mais, ce torrent déchaîné, le Maître découvre en lui des valeurs apolliniennes — triomphantes dans la *Neuvième symphonie* — qui tiennent les rênes des coursiers de Dionysos.

Sous tous ses aspects, Beethoven a l'ampleur de l'homme complet du Sagittaire. Rien n'y manque. Sa plus belle définition, c'est peut-être Grillparzer qui la fournit sur sa tombe : « Depuis le roucoulement de la colombe jusqu'au roulement du tonnerre, depuis la combinaison la plus subtile des ressources d'une technique ferme jusqu'au point redoutable où l'éducation de l'artiste fait place au caprice sans lois des forces naturelles en pleine lutte, il avait passé partout, il avait tout saisi. »

Et derrière le génie, l'homme qui se ramassa en une phrase au jour douloureux du Testament de Heiligenstadt :

Divinité qui vois au fond de mon cœur, tu connais, tu sais que l'amour des hommes et l'inclination au bien y siègent.

82

Dessin par Auguste von Klöber, Vienne, 1818.

Hector Berlioz

Louis-Hector Berlioz a vu le jour à la Côte-Saint-André dans l'Isère le 11 décembre 1803 à 17 heures. Il est un des représentants les plus typiques du Sagittaire à dominante martienne : Soleil-Mercure-Mars sont conjoints au centre du signe, l'Ascendant étant dans le signe émotif du Cancer et la Lune dans le signe martien, passionné et tourmenté, du Scorpion, en conjonction de Neptune. Une forte dissonance saturnienne s'ajoute à cette signature générale.

Le *feu croisé* de Mars et du Sagittaire associé à la note saturnienne fait de lui un bilio-nerveux au portrait caractéristique : visage anguleux, rétracté-bossué, menton avancé, bouche ferme et arcades sourcilières saillantes abritant un regard volontaire.

Non moins frappant, face à cette signature astrale, est son caractère : énergique, mordant, tranchant, passionné, ardent, bouillant, fougueux, indomptable, indiscipliné, révolté... Berlioz, c'est la frénésie romantique ; il vit dans la fièvre, il jette feu et flamme, il a des rages de génie !

L'émotivité cancérienne et lunaire et l'ardeur martienne prennent, avec la « caisse de résonance » sagittarienne, une amplification extravagante. Dans son âme avide de frémir, un murmure se change vite, par un sursaut brusque, en gémissements de rafales et en grondements de tonnerre : *volcanique, volcanisme, convulsif, feux et tonnerres,* voilà — déclare son biographe Adolphe Boschot — des mots dont il est coutumier, qu'il emploiera souvent et longtemps. Sur son âme, le moindre heurt fait gronder des échos de tempête. A sa sœur, il écrit qu'il est *sujet à des moments d'orage.* Son rêve cancérien prend tout de suite un mouvement qui tourne à la folle allure du drame. Une idée jaillit, prompte — dit-il — fracassante comme l'éclair ; subitement il rougit, il court, il brûle ; cette idée le consume et il veut en hâte déverser ce trop-plein de lave...

Dès sa première jeunesse, il a la révélation de la musique : au diable la médecine ! Cette vocation que ses parents essaieront de contrarier en vain sera impérieuse, irrésistible. Sa première révolte se passe donc dans sa constellation familiale.

La rébellion de ce centaure combatif se tourne ensuite contre la musique de son temps. Il devient le critique musical le plus virulent et le plus avisé de son époque. Et surtout, son esprit frondeur s'en prend à la tradition musicale, ou plutôt à l'académie qui la représente. Assurément, l'art de ce colérique est tout d'inspiration, de fantaisie et de verve ; il méprise donc les conventions et s'affranchit de toute tutelle extérieure : *Les Romantiques ont mis sur leur bannière : inspiration libre...* Il suit son instinct et se laisse emporter par le tumulte des passions de son âme effervescente. Mais le Prix de Rome lui est refusé à plusieurs reprises : *Ah! vieil et froid classique, mon crime, à tes yeux, est de chercher à faire du neuf!* Et quand, enfin, il l'obtient, il pousse ce cri : *L'Institut est vaincu!*

Les affinités électives de cet intempérant sont ressenties comme des coups de foudre, et il les éprouve coup sur coup. Il s'était d'abord épris de Gluck par la voie de sa sensibilité cancérienne. Il se déclare ensuite *foudroyé* par Beethoven, son frère aîné du Sagittaire (il en commente lui-même la révélation : *mèches de cheveux arrachées, rires stridents, sanglots convulsifs...*), puis il aimera un autre musicien du signe : Weber. C'est à la même époque de sa vie qu'il s'éprend de l'actrice Harriett Smithson : amour dévorant, furieux, frénétique, qui lui ouvre un cratère dans le cœur. Dès qu'il la voit, il proclame : *Elle sera ma femme!*

Naturellement, ce lutteur cherche à s'imposer de bonne heure ; il veut emporter toutes les positions d'assaut, organise des concerts à ses frais, s'endette, s'agite, connaît des échecs douloureux et n'arrive pas à imposer sa musique malgré des tournées dans toute l'Europe. Destinée bien martienne!

Quant à sa musique, véritable « épée flamboyante » (Schumann), elle a sans doute l'accent passionné du Cancer et de Mars *(Roméo et Juliette)* ; elle révèle aussi l'expressionnisme de sa conjonction Lune-Neptune en Scorpion où la vérité impérieuse du rêve qui le poursuit aboutit jusqu'à l'idée fixe dramatique, dans le fantastique *(La Symphonie*

Fantastique). Mais elle porte surtout la marque du Sagittaire
titanesque; on y voit Berlioz aux prises avec la grandeur, le
colossal, le sublime de l'épopée *(Invocation à la nature)*.
Son style nerveux et musclé exprime la flamme de sa passion
dans un luxe de sonorités éclatantes. Les conceptions de son
esthétique sont elles-mêmes gigantesques; il eut — dit
Arthur Coquard — l'imprudente ambition d'amalgamer des
sons, de la couleur et de la littérature. Enfin, son goût des
immenses compositions instrumentales est connu (quadruple
orchestre du *Dies iræ*) et son bonheur était à son comble
quand il pouvait, dans une exécution monstre, déchaîner des

Caricature de Berlioz par Geiger, 1846.

masses de cuivres, trompettes, trombones et timbales! Ce titan voulait le grandiose et le cherchait avec des moyens martiens.

Un tel être devait se dépenser outre mesure; sans compter ses nombreuses épreuves affectives signées du carré exact Vénus-Saturne; ce dernier fauche successivement toutes ses amours : il perd ses parents et ses sœurs, est veuf une première puis une seconde fois; enfin la mort lui ravit également son fils. A la cinquantaine, Berlioz est un homme fatigué, las, usé, voûté, malade, à bout de forces; et à soixante-six ans, il meurt désespéré.

Monsieur Loyal

Le Diable et le Bon Dieu

Pierre Brasseur

« Engagé volontaire dans le char de Thespis dès l'âge de quinze ans, *il ne brûle* que pour la comédie[1]. » Ainsi commence à se manifester le feu du Sagittaire chez Pierre Brasseur, né à Paris, le 22 décembre 1905, à 9 h 30. Le soleil est à 29 degrés du signe, et une conjonction Vénus-Mercure vient en renforcer les effets. En vrai Sagittaire, Pierre Brasseur va dépenser les forces de vie remobilisées au signe du Scorpion avec ce goût de la démesure qui le prédisposera à camper merveilleusement le personnage de Barbe-Bleue. Georges Charensol a dit que son interprétation pèche par excès d'intelligence.

Pierre Brasseur dira : *Si je n'en fais pas trop on ne me remarquera pas.* Il s'agit là du problème de la flèche lancée par l'homme Centaure pour atteindre au-delà des limites[2].

Ces tendances à l'excès sont aussi la conséquence des valeurs dionysiaques du signe — si Brasseur se déchaîne dans ses rôles il en fait autant dans la vie[3] : on sentait que la vie,

1. L'Écran Français n° 260. 26 juin 1950.
2. *La cuisine, j'adore la faire, mais là aussi j'en mets toujours trop.*
3. France-Dimanche n° 570.

Les enfants du Paradis

Le Mascaret

pour lui, c'était une chose qu'il allait dévorer. Il a commencé
par la boire... Son directeur Victor Boucher ne voulait
pas qu'il boive. P. Brasseur se faisait apporter dans sa loge
d'énormes théières. D'énormes théières pleines de fine, qu'il
buvait à pleine tasse sous l'œil attendri de Victor Boucher.
La conjonction Vénus-Mercure dans le Sagittaire en aspect
d'opposition à Pluton dans le signe des Gémeaux renforce
chez Brasseur ce goût de la comédie qui est bien une valeur
Gémeaux. Nous retrouvons ce rapport feu-Sagittaire et feu-
Gémeaux quand Brasseur dit de sa femme Lina Magrini :
C'est mon jouet électrique. Le Sagittaire est un extraverti
animé d'un besoin de mouvement perpétuel qui l'entraîne
hors de chez lui. Jusqu'à son mariage tardif avec Lina Magrini,
Pierre Brasseur a toujours vécu à l'hôtel. Il a préparé avec
Henri Jeanson un film sur les comédiens ambulants, et comme
par hasard ce Centaure aime les westerns. Pierre Brasseur
raconte une histoire enfantine : *Moi je serai la locomotive,
toi tu seras le cheval. Hein!... quant à moi, j'ai toujours été plus
loco que cheval.* Par ce choix, l'acteur n'exprime-t-il pas son
désir Sagittaire d'aller au plus vite, plus loin ?

89

François Broussais

Personnalité poussée jusqu'à l'outrance, François-Joseph-Victor Broussais, né à Saint-Malo le 17 décembre 1772, à 17 heures, est tributaire d'un Soleil seul en Sagittaire à 26º, au sextile de Jupiter à 28º du Verseau, en carré à la Lune en Vierge où se trouvent le Fond-du-Ciel et une conjonction Saturne-Neptune qui gouverne le Milieu-du-Ciel en Poissons, signe de sa première orientation maritime. L'Ascendant au Cancer, vide de planètes, ainsi que Mercure au Capricorne à l'Occident, au trigone de Saturne-Neptune en trigone des autres planètes supérieures, prête à un complexe d'infériorité surmonté par une éloquence critique plutôt sectaire, que Mars (rétrograde au Lion) assortit d'une agitation orgueilleuse, assez vaine.

Lisons Henri Mondor pour goûter là-dessus toutes les incidences d'un « mélodrame de Jupiter » dans le décor Verseau-Sagittaire :

Le Centaure : Son père, officier de santé, l'envoie, à cheval, seul la nuit, vers les chaumières espacées, distribuer, sans peur, aux malades les médicaments.

L'archer : A vingt ans il est franc-tireur contre les chouans. Terrassé par la dysenterie, son père lui obtient une commission de chirurgien de la marine. En croisières lointaines, avec Surcouf ou sur le « Bougainville », il va être *le missionnaire.* Il s'y montre brave, rude, impétueux, téméraire.

Avec l'argent ainsi gagné, il se marie et vient à Paris présenter une thèse assez prétentieuse visant à ajouter une septième, la fièvre hectique, aux six fièvres de Pinel. Ce travail est jugé comme d'un esprit pénétrant et hardi qui « invente tout en imitant et généralise tout en ignorant ». Boudé par la clientèle, il s'engage sous la protection de Desgenettes, dans l'armée, et fait les campagnes impériales. On note qu'il soigne *généreusement* les typhiques russes prisonniers d'Austerlitz. « Parmi des tâches qui écraseraient une complexion moins résistante, il garde son alacrité d'esprit. Un bouillonnement d'idées, d'observations, de projets,

l'inspire. » Il écrit une *Histoire des Phlegmasies et inflammations chroniques*, surtout digestives dont il assure que périssent presque tous. Il y prétend *agrandir* l'horizon de la Science; on y retrouve le feu du Sagittaire et les signes digestifs du Cancer et de la Vierge puissants. Le biographe conclut à un « excès d'esprit de synthèse » (ce qui est bien jupitérien) et commente : « On croirait sa raison abusée par la vanité. Au lieu d'enregistrer avec patience et humilité, il gaspille sa valeur en sophismes présomptueux. Il observe incomplètement et déraisonne jusqu'à l'extravagance! » Ainsi une démesure jupitérienne peut-elle conduire jusqu'à paraître une outre gonflée de vent. Voici, conformément à la légende de Jupiter, *le jouisseur :* « Pendant la campagne d'Espagne, il ne manquera jamais, dans des délices gaillardement improvisées, de se consoler un peu des souffrances dont il est le témoin. Hurlant ses ordres et ses opinions, murmurant ses souhaits et ses galanteries, il porte haut une forte et belle tête, un menton puissant, et fait étinceler un regard impérieux ou caressant toujours redouté. Son insolence n'est d'ailleurs pas sans voltes tendres et la fatuité lui va comme ses belles couleurs et comme le registre de ses débauches. »

Après l'Empire, il devient médecin-chef et inspecteur de l'Armée. « Il fonde les Annales de médecine physiologique. Il y pourfend ses adversaires avec toute sa violence de polémiste et d'aventure quelque mauvaise foi. Dans son amphithéâtre, il crie si fort qu'on l'entend et l'applaudit de la rue. Dans la rue, il recommence, laissant sans honte, dans son avide vanité, l'attroupement s'élargir autour de lui, comme badauds sur la foire, regardant un forain faire ses tours. » C'était donc ici *le tribun*, un tantinet porté sur la démagogie du Verseau. Maintenant, voici *l'apôtre* et son inflation : « On l'appelle le Mirabeau de la médecine, le ton prophétique, l'impétuosité fulgurante, les sarcasmes du pamphlétaire, l'apitoiement sur soi du méconnu, la superbe du réformateur, tout lui est bon. Il a bien cette organisation naturellement montée pour être sonore et retentissante, hautement distributrice à distance. »

Et voici une description d'un physique bien jupitérien :

« Avec sa carrure athlétique, ses sourcils touffus comme ses discours, le feu fauve de ses regards, l'ascendant de son énergie, le roulement de sa voix... » Encore des traits caractéristiques : « Militant plus encore que militaire, il croit être un prophète, il jette à tue-tête des aphorismes que la modestie ne tempère presque jamais. » Son leitmotiv est de se trouver en avant-garde et de n'observer que confusion chez ses plus illustres prédécesseurs. « *Le Messie* de la médecine est arrivé, dit-il, mon but est de former des médecins d'une pratique plus heureuse. J'y parviendrai, j'en suis sûr, parce que, depuis *douze ans*, j'ai coutume d'y parvenir. » Douze ans, précisément la fin d'un cycle jupitérien, il est au comble de l'inflation du moi ! Puis c'est le déclin : « Une chaire à la Faculté l'a accueilli, puis l'Académie. Progressivement déclinant et presque répudié, trahi encore par sa mégalomanie *chevrotante* (Mercure au Capricorne), il finit dans l'enseignement officiel qu'il méprisait et qui l'émascule comme pas un ! » Et Mondor ajoute : « Il a combattu, avec son outrance et plus de colère que d'inimitié, pour sa folle doctrine, mais il ne l'a point vendue ! Il n'était pas marchand de médecine, emporté peut-être par sa passion d'idées. »

Puissante et double personnalité où les planètes en Vierge semblent n'avoir joué que sur son comportement privé et sa fin, seul, en homme pauvre et brave, qui se ferma lui-même les paupières. L'homme public, poussé par la surcompensation puissante du Soleil soutenu par Jupiter, fut un exemple d'exagération et de démesure sur des qualités foncières très réelles.

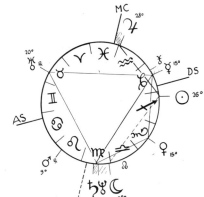

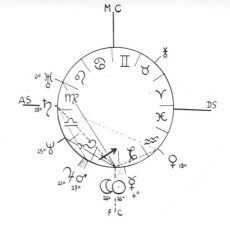

Christine de Suède

Lorsqu'elle naît à Stockholm vers minuit le 8 décembre calendrier julien, ou 18 décembre calendrier grégorien, 1626, la fille du roi Gustave-Adolphe est marquée par une rencontre du Soleil et de la Lune dans le Sagittaire au moment de son passage au méridien, et au carré de Saturne en Vierge à l'Ascendant, Jupiter étant conjoint à Mars en Scorpion.

Quand, à la mort de son père, la couronne royale se pose sur son front, elle n'a que six ans ; déjà, le sang sagittarien du grand guerrier (il a le Soleil au même endroit que celui de sa fille, ainsi que l'Ascendant dans le signe) l'anime : elle est une gamine intrépide, un garçon manqué, hardie et singulière. Et, quelques années plus tard, elle ne tarde pas à se montrer une femme altière, enthousiaste, ardente, audacieuse, aventureuse, qui en impose autour d'elle.

Sa nature sagittarienne, on la saisit sans détour chez cette jeune reine à l'allure leste et militaire, vêtue en amazone, menant la vie d'un jeune seigneur. On la voit, infatigable, inlassable, trotter dans la campagne, faire de longues courses à pied et se mettre en selle, en écuyère consommée. Elle aime la chasse et s'y montre habile ; c'est une passion qui en écarte les fatigues et les dangers. Elle ne craint ni le chaud ni le froid et se passionne pour les chevaux, les jeux de plein air, les exercices violents. Au fort de l'hiver, lorsque la mer est

95

glacée, elle se promène en traîneau jusqu'à une heure avancée de la nuit. « Elle marche de longs moments, tête nue, sous le soleil, le vent, la pluie; elle rentre ébouriffée ou ruisselante, montrant son visage farouche aux dames de la Cour qui sont poudrées comme des poupées[1]. » Cette participation à la vie présente un caractère fougueux; elle aime avant tout la nature des grands vents, les tourbillons de la tempête qui abat les découragements, bande les énergies et la dresse, frémissante et altière. Elle est fière de son farouche : *Les nouvelles menacent le monde d'un grand calme; moy qui aime les tempestes, je crains la bonace...*

Cette reine n'est pas seulement une dionysiaque; elle est aussi une femme affranchie et insoumise. Plutôt que d'imiter les femmes élégantes de la Cour, cette grande indépendante prend peu soin de sa toilette, a une mise négligée, ne porte aucun bijou et ira jusqu'à couper ses cheveux. « Elle a même le goût du paradoxe et de l'antithèse. Il ne lui déplaît pas d'être catholique en Suède parce qu'il n'y a pas de catholiques; elle se montre peu croyante en Italie parce que la foi y domine. Sa résistance au pape marque la persistance de son caractère[2]. » Rien ne lui fait courber la tête et à la seule idée d'aliéner une parcelle de sa liberté, elle se cabre comme un pur-sang.

Mais si elle est libertaire, cette reine est aussi — et nous retrouvons encore son signe — dominatrice, d'un orgueil indomptable, et hantée comme par une idée fixe de son sentiment de supériorité. On pourrait multiplier les citations qui vantent son caractère :

Mon ambition, ma fierté, incapables de se soumettre à personne et mon orgueil méprisant tout...

Me calomnier, c'est s'attaquer au soleil.

J'étais encore dans mon berceau que la Suède m'admirait déjà...

Et quand elle énumère ses défauts, elle précise *qu'il y a des taches jusque dans le soleil, ce qui n'empêche pas sa lumière d'être éclatante.*

1. Jacques Castelneau : *Christine de Suède*, Hachette, 1944.
2. o. c.

La Cour de Christine, Peinture de Dumesnil,
(on distingue Descartes en face de la reine).

Et cependant, Christine a aussi le côté introverti du Sagittaire, avec son aspect saturnien. Elle a le goût profond des sciences et de la philosophie; elle étudie, explore différentes disciplines, apprend des langues anciennes et étrangères, entre en communication avec les grands esprits de son temps et s'efforce d'attirer à la Cour de Suède les savants dont elle s'émerveille. Aussi l'a-t-on célébrée comme la « Nouvelle Minerve », la « Pallas suédoise »...

Mais l'amour de la liberté devait souverainement avoir le dernier mot. Ses goûts repoussent-ils le mariage? Elle préfère renoncer (Saturne) au pouvoir. Elle n'a que vingt-huit ans : elle dépose la couronne en précisant qu'elle pourra dorénavant faire *tout ce que bon lui semblera sans être obligée à aucun acte de sujétion ou d'obéissance et sans être tenue de rendre compte qu'à Dieu seul tant de ses actions et de sa conduite passée que de ce qu'elle fera après son abdication.* Plus de rang à tenir, de protocole à observer, de retenue à garder; ce farouche centaure se grise de liberté, d'abandon, presque de laisser-aller, et prend le vent du large en passant le reste d'une existence voyageuse, aventureuse et tapageuse, hors de son pays.

Winston Churchill

Blenheim, comté d'Oxford, le 29 novembre 1874, naissance de Winston Churchill : le Soleil et Vénus sont en Sagittaire et cette dernière planète s'y trouve à la fois au trigone d'une conjonction Lune-Uranus en Lion et au sextil d'une conjonction Mars-Jupiter en Balance. C'est dire que l'élan sagittarien de ce centaure prend appui sur l'affirmation d'un Moi autoritaire (Lion) et sur une grande puissance d'expansion volontaire (conjonction Mars-Jupiter[1]). Nous avons là Churchill, brave, audacieux, entier, indomptable, violent et puissant comme un cyclone.

Dès sa jeunesse, sa flèche vise haut et loin. C'est d'abord la passion des aventures lointaines qui s'empare de lui. Lorsqu'en 1895 — il n'a pas sa majorité — éclate une insurrection à Cuba, il frémit d'impatience et s'improvise correspondant de guerre. L'année suivante, c'est la révolte aux Indes; sans attendre des ordres formels, il y part en tant qu'officier chroniqueur militaire. On le verra ensuite à la guerre des Boers où « l'envoyé spécial » fait un reportage sensationnel : le voilà cette fois lancé dans la politique.

C'est encore vers le lointain qu'il regarde pendant la première guerre mondiale; le Premier Lord de l'Amirauté organise la fameuse expédition des Dardanelles; et quand l'échec de « l'affaire » est consommé, il en assume toute la responsabilité.

A la déclaration de la seconde guerre mondiale, le voilà à nouveau Premier Lord de l'Amirauté. L'exil politique est terminé. « A 65 ans, ce « bulldog » à la diction maladroite, cet universel et protéiforme personnage, cet homme impétueux et despotique allait violer l'Histoire et se faire donner d'elle le seul brevet qu'il ambitionnât encore : celui de Sauveur de la Patrie. Quand la nouvelle de sa nomination fut connue à l'Amirauté, un courant électrique parcourut tout l'édifice. De là, il fila vers les ports du Sud, du Nord, de l'Est et de l'Ouest, parcourut les sept mers et les mille montagnes, rejoignit chaque unité de la Flotte britannique et lui

---

1. Une conjonction Mars-Jupiter en Sagittaire dominait le ciel de Clemenceau.

porta le joyeux message : « Winston est revenu! » Ainsi commençait la guerre, avec un message qui disait déjà, avant les défaites à venir et les succès lointains, comment elle serait menée[1]. »

Sa politique de guerre, il la définit aux Communes, le 13 mai 1940, avec une franchise brutale qui stupéfie l'Angleterre :

...Je n'ai rien à offrir que du sang, du travail, de la sueur et des larmes... Vous me demandez quelle est notre politique? Je vous réponds : c'est de faire la guerre sur mer, sur terre, dans les airs, avec toute la force et toute la puissance que Dieu peut nous donner. Vous me demandez quel est notre but? Je puis vous répondre : la victoire, la victoire à tout prix, la victoire en dépit de toute erreur, la victoire si longue et si dure que puisse être la route, car, sans victoire, il ne peut être question de survivre...

Celui qui prenait cette fois en main les destinées du Royaume-Uni héritait d'une situation critique de la Grande-Bretagne : la France abattue, l'invasion de l'île devenait l'objectif n° 1 de Hitler, et bientôt allait commencer la première phase de la bataille : les bombardements aériens. Sans tarder, Churchill prit position :

... Nous ne fléchirons ni ne faillirons. Nous marcherons jusqu'à la fin... Nous nous battrons sur les grèves, nous nous battrons dans les champs et dans les rues, nous nous battrons sur les collines. Nous ne nous rendrons jamais. Et même s'il arrivait, ce que je ne crois pas un seul instant, que cette île tout entière ou en grande partie fût réduite en esclavage et condamnée à la famine, alors notre Empire (sagittarien) au-delà des mers poursuivrait la lutte...

Avec une franchise bien Sagittaire-Lion, Churchill ne mâchait pas les mots. Il préparait l'Angleterre à son calvaire, mais en même temps il la dynamisait dans le combat, il galvanisait le moral de toute la nation. Après chaque bombardement, il rendait visite à la population; partout, sur son passage, il encourageait les initiatives, soulevait l'enthou-

---

1. Armand Gatti et Pierre Joffroy, *La vie de Churchill*, p. 82, Éd. du Seuil.

siasme. Cet homme de soixante-cinq ans se donnait à fond, inspectait tous les fronts, allait jusqu'au désert de l'Egypte s'informer de la situation militaire et menait une activité diplomatique sans relâche entre Washington et Moscou. Partout, avec son havane et son V, ses signes de ralliement, il apportait un optimisme jupitérien inébranlable : l'Angleterre ne pouvait que gagner la guerre.

La guerre gagnée, il espérait continuer. Mais il n'était plus l'homme de la situation; il était fait pour les grandes actions au loin; sa carrière sagittarienne s'était déroulée hors de la Grande-Bretagne en expéditions de reporter, en évasions de chef militaire et en ministre impérial qui confond orgueilleusement la nation avec l'univers. L'Angleterre d'après-guerre appelait des chefs plus spécialement axés sur la politique intérieure et les innombrables problèmes qu'elle posait. Ce n'était plus sa dimension.

Mais il pouvait se retourner sur lui-même car ce titan-Atlas portait tout un monde intérieur. Cette ampleur sagittarienne et jupitérienne telle qu'en elle-même, pour finir, nous en laisserons faire le tableau exhaustif au reporter américain Knickerbocker :

« *Grosso modo*, et par ordre d'importance, les principaux motifs d'intérêt de Churchill sont : l'Angleterre, la guerre, la marine royale, sa famille, le passé, le présent, le futur, le pouvoir, la politique, la langue anglaise, l'éloquence, écrire l'histoire, la faire, le journalisme, la lecture, les peuples de langue anglaise, les bonnes nourritures, les bons vins, les bons cigares, le peuple français, tous les autres peuples, la conversation, le bien qu'on dit de lui, le mal qu'on en dit, les cérémonies, la peinture, la pose des briques, la natation, l'équitation, le bézigue à six jeux, ses chapeaux, ses chaussures, ses vêtements et, naturellement, ce sanglant chat de gouttière : Hitler. »

Walt Disney

Dans le thème de nativité de Walt Disney (Chicago, 5 décembre 1901, 0 h 30) six planètes voisinent le Fond-du-Ciel : quatre au Capricorne (Mars, Saturne, Jupiter, Vénus) deux au Sagittaire (conjonction étroite Uranus-Soleil). L'amas au Capricorne est certes en rapport avec la surprenante carrière du créateur de *Mickey Mouse*, parti il y a quelque 25 ans d'une cabane et d'une dette de 500 dollars pour être aujourd'hui avec son frère Roy à la tête d'un millier d'employés dans les somptueux studios de Burbank. L'ambition, l'acharnement du Capricorne ne furent pas de trop dans son œuvre, fruit d'un travail opiniâtre, autant, sinon plus, que du sens· artistique.

La conjonction significatrice de la volonté de création (Uranus-Soleil au Sagittaire) est associée à la Maison III, secteur céleste traditionnellement consacré aux frères, sœurs, collaborateurs directs, ainsi qu'aux productions de l'esprit. Effectivement les frères Disney ont mis en commun leur fortune, et nous devons à cette collaboration de ravissants chefs-d'œuvre. L'aspect Sagittaire de la production Disney, indirect dans les mésaventures de *Donald Duck* ou les niaiseries de *Dingo*, apparaît manifestement dans la série *C'est la vie* et le *Monde et ses habitants*. Le *Désert Vivant*, premier grand film documentaire, souligne l'endurance de la vie, fidèle à ses principes de lutte, de ténacité et d'invention dans un pays que l'on croirait mort d'inanition. Dans *La grande Prairie* une camera indiscrète va de la girafe au rhinocéros, du lion à l'autruche. La série *C'est la Vie* constitue une encyclopédie par l'image des différentes espèces animales. Mais Disney étend l'homme, à la nature entière, avide, semble-t-il, de prendre le monde sur le vif dans ses moindres recoins, ses moindres lumières.

Disney exprime également par les dessins animés son intérêt pour les animaux. On établirait facilement un parallèle entre lui et Kipling ; tous deux, inspirés par le Sagittaire, ont créé des types d'animaux parlants bien loin des animaux machines de Descartes ; tous deux abondent dans l'impressionnisme et suivent la vie à travers ses métamorphoses.

Dans un festival Disney, l'enfant retrouve l'univers familier de sa pensée magique. L'adulte n'apprécie pas seulement le gag et la caricature ; les harmonies entre le son, l'image et le mouvement (*Fantasia*) et les imbrications des plans réel et imaginaire (*Les Trois Caballeros*) ont la faveur du grand public.

Disney nous transmet le message du Sagittaire en brisant les frontières du visible et de l'invisible. Chasseur d'images, technicien du dessin, il a mis son génie au service du merveilleux, compagnon de la vie, universel et inépuisable comme elle. Associé à la vie, le merveilleux est communément accessible. Disney nous l'assure et le prouve par la création de Disneyland : sur cent hectares de terre de cette planète réputée pour ses sordides réalités, un univers fantastique et enchanteur a pris racine.

Georges Guynemer

Le héros légendaire de l'aviation de guerre 14-18, Guynemer, a vu le jour le 4 décembre 1894, à 10 h 30, avec Soleil et Vénus en Sagittaire, et Uranus et Mercure conjoints dans le Scorpion au Milieu-du-Ciel.

Il n'a pas vingt ans quand la guerre éclate et il ne songe qu'à entrer dans l'aviation pour se battre. De constitution chétive, il est ajourné deux fois de suite par le bureau de recrutement de l'armée, mais il insiste tellement qu'il parvient à passer en fraude dans un groupe de cent élèves-pilotes.

Son aventure sagittarienne, nous la connaissons : dans l'escadrille des Cigognes, il se fait vite remarquer par son calme imperturbable devant le danger et la maestria avec laquelle il conduit son monoplace. Il exécute en volontaire des « missions spéciales » et se tire toujours admirablement d'affaire. Mais ce centaure préfère par-dessus tout la chasse aérienne dans laquelle il excelle au point de battre tous les records. On le voit abattre trois et même quatre appareils ennemis dans la même journée, et le 11 juin 1917, il est fait officier de la Légion d'Honneur : 45 avions abattus, 20 citations! Mais le 11 septembre 1917, son avion ne rentrait pas à sa base et l'on ne devait pas retrouver sa dépouille...

... « tombé en plein ciel de gloire »... sa dernière citation, apposée sur une plaque du Panthéon, témoigne chaque année, au baptême de promotion des « Poussins » de l'Ecole de l'Air, de cette vie accomplie d'un Sagittaire sublime :

GUYNEMER
HÉROS LÉGENDAIRE TOMBÉ EN
PLEIN CIEL DE GLOIRE APRÈS TROIS
ANS DE LUTTE ARDENTE. RESTERA LE
PLUS PUR SYMBOLE DES QUALITÉS
DE LA RACE : TÉNACITÉ INDOMPTABLE,
ÉNERGIE FAROUCHE, COURAGE SUBLIME,
ANIMÉ DE LA FOI LA PLUS INÉBRANLABLE
DANS LA VICTOIRE. IL LÈGUE AU SOLDAT
FRANÇAIS UN SOUVENIR IMPÉRISSABLE
QUI EXALTERA L'ESPRIT DE SACRIFICE
ET PROVOQUERA LES PLUS
NOBLES ÉMULATIONS.
11 SEPTEMBRE 1917.

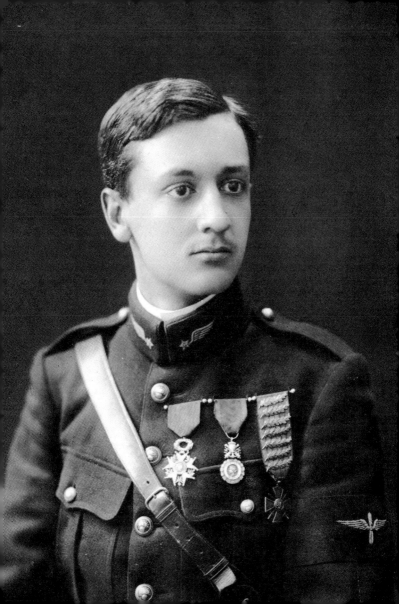

Rudyard Kipling

Le ciel de Rudyard Kipling, né le 30 décembre 1865 à Bombay signale un amas planétaire autour du solstice d'hiver : conjonction Soleil-Jupiter au Capricorne, triple présence des planètes rapides Mercure-Mars-Vénus dans le signe du Sagittaire. La première constellation (sous l'opposition d'Uranus comme aspect majeur) définit la rigueur impérialiste de Rudyard Kipling, écrivain doctrinaire du Royaume-Uni. On se souviendra longtemps de *Kim, Mowgli*, de *Rikki-Tikki-Tavi*, la petite mangouste, et des *Bandar-Log* ; ces personnages ont assez de réalité et de féerie pour passer l'épreuve du temps. Mais que restera-t-il de l'écrivain ultra exaltant le système Armée, Marine, Civil Service pour une Angleterre, Reine des Mers marchandes et guerrières ? Et de cette propriété nationale objet de tant d'orgueil ... *Malgré qu'il n'y ait pas une vague en ses vagues, Qui ne recouvre un mort anglais!... (Les Sept Mers.)*

Les poèmes épiques frémissants de patriotisme, de cocardes et de tambours battants, intéresseront moins la postérité que les contes du Kipling Sagittaire.

Entre Mercure et Vénus, Mars, occupant en affinité avec la nature du signe (qualité Feu) révèle le casse-cou, le joueur, l'individualiste aux facettes changeantes. La conjonction Mercure-Mars dans le signe des grands nomades, en fait un reporter accompli, chroniqueur talentueux de l'Inde mystérieuse et des pays lointains que sa profession l'amène à visiter. Il côtoie familièrement l'aventure, cheminant auprès du soldat, du marin, du vagabond ou de l'enfant sauvage. Kipling, homme d'action, éprouve le monde par toutes ses routes, par tous ses continents : voyageur-né, il visite l'Inde, le Japon, l'Amérique, l'Australie, la Nouvelle-Zélande, l'Afrique du Sud. Son désir d'expériences nouvelles, une instabilité dirigée, ne se borne pas à une investigation superficielle de l'écorce terrestre. La variété des types humains attise également sa curiosité. Fort de ses pérégrinations dans les différentes classes sociales et raciales, il excelle dans une sorte de psychologie behaviouriste, révélant un caractère par une succession pure et simple d'attitudes. Cette objectivité laconique le conduit à identifier l'individu à sa peau, son costume, son rang, son milieu et bien souvent sa fonction sociale. Aussi n'est-on pas surpris de trouver *Mowgli*, fils de l'homme, sur un pied égal à celui de ses compagnons de la jungle : *Nous sommes du même sang toi et moi* (*Le Livre de la Jungle*). Les hommes n'ont rien à envier aux animaux, étant comme eux pétris de chair et soumis aux lois fondamentales de la vie ; ils s'en distinguent néanmoins par leur station verticale, aussi *Mowgli* quittera ses amis : Akela, le loup, Baloo, l'ours, Bagheera, la panthère, Kaa, le serpent, comme le Blanc doit se séparer de l'indigène, l'aristocratie suivant cette optique étant une affaire de pigmentation.

Kipling, raciste, demande aux membres du clan de s'unir dans une amitié sans réserve (amitié masculine : Vénus-Mars au Sagittaire) contre l'impur, étranger, ennemi ou homme de couleur.

Nous voyons là un effet du Sagittaire « type musculaire, corporel actif » plus proche de ses origines (symbole animal) que de ses destinées (visée cosmique de l'homme). Centaure naturaliste, Kipling est sûr de sa force, maître de son orgueil ; Centaure poète, il prête une oreille attentive aux bruits des saisons, aux murmures des forêts comme à l'âme des vaisseaux et des chemins de fer : *La locomotive, après l'engin maritime, est la chose la plus sensible que l'homme ait jamais fabriquée.* Sa morale est une apologie du virilisme (*Capitaines courageux, Trois soldats*), une exhortation à l'héroïsme professionnel (*Actions et réactions, Une flotte en action, Travail quotidien*), ou une simple invitation au voyage. Chacun doit atteindre l'optimum de ses possibilités, viser un au-delà avec toutes les ressources énergétiques de l'être, enfin et surtout, affronter avec désinvolture et bravoure l'existence, comprise comme une merveilleuse aventure.

Bois gravé de Kipling
pour les « Histoires Comme ça »

Madame de Maintenon

Née à Niort le 27 novembre 1635, Françoise d'Aubigné est signée du Sagittaire : le Soleil et Vénus y forment une brillante conjonction au carré de Jupiter-Vierge et Mercure s'y trouve conjoint à Saturne à l'entrée du Capricorne.

Il est aisé de reconnaître en elle les traits dominants du sagittarien cyclothyme :

Le souci de l'intégration au milieu de l'honneur et de la réputation : ...*J'ai vu de tout, mais toujours de façon à me faire une réputation sans reproche. Le goût qu'on avait pour moi était plutôt une amitié générale, une amitié d'estime que de l'amour. Je ne voulais point être aimée en particulier de qui que ce fût ; je voulais l'être de tout le monde, faire prononcer mon nom avec admiration et respect, jouer un beau personnage, et surtout être approuvée par des gens de bien : c'était mon idole... Il n'y a rien que je n'eusse été capable de faire et de souffrir pour faire dire du bien de moi. Je me contraignais beaucoup ; mais cela ne me coûtait rien, pourvu que j'eusse une belle réputation : c'était ma folie. Je ne me souciais pas de richesses : j'étais élevée de cent piques au-dessus de l'intérêt ; mais je voulais de l'honneur.*

Ce souci d'honorabilité ne peut être séparé de son sens moral, voire de son goût de la vertu qui se confondait pour elle avec la religion. Elle demeurera fidèle à son axiome *qu'il n'y a rien de plus habile qu'une conduite irréprochable ;* aussi aura-t-elle la suprême habileté de plaider auprès du roi Louis XIV, plus ou moins culpabilisé par sa conduite amoureuse, la cause de la vertu et de la religion.

L'union conclue avec le monarque, elle lui apporte d'autres valeurs sagittariennes : la douceur de l'existence familiale, la confiance, la quiétude apaisante, un bonheur bourgeois ; cette femme mûre fait à son époux royal le don de ce calme où les âmes se détendent, une certaine sagesse...

Avec la grandeur jupitérienne du signe, Madame de Maintenon, véritable « mère de l'Eglise », n'a peut-être pas de distinctions, de richesses, de maison ; mais elle est traitée par le roi avec les mêmes égards qu'une reine reconnue, et

son entourage ne l'aborde qu'avec une respectueuse déférence. Sa dévotion aidant, elle en impose beaucoup en dépit de son effacement. Certes, elle n'a aucun goût pour gouverner le royaume — le pourrait-elle d'ailleurs avec un tel monarque ? — mais il lui suffit de gouverner la conscience du roi ; et par là, on la voit s'identifier à la personne du souverain et du royaume lui-même.

Et c'est encore à ce signe jupitérien qu'elle doit cette grandeur innée qui lui permet de se placer sans effort au niveau du plus haut destin.

Jean Mermoz

9 décembre 1901, à 1 h 40, à Aubenton, Aisne : naissance de Jean Mermoz avec la présence de Mercure et d'une étroite conjonction Soleil-Uranus dans le Sagittaire, en secteur III, les Gémeaux culminant.

Tous ces symboles sont réunis chez ce héros de l'aviation dont son biographe Joseph Kessel nous a tracé un portrait sagittarien saisissant[1].

La passion du voyage chez cet oiseau migrateur devient la soif des vastes espaces, la nostalgie de l'infini :

Voir l'Amérique du Sud, refaire un petit tour en Syrie, jeter un coup d'œil en Perse, poser les pieds aux Indes ou en Chine, et ça me suffirait.

Bien vite, le jeune aviateur se ressaisit :

Partir d'où l'on veut, quand on veut, et arriver où l'on veut, quand on veut.

Cette conception du métier, Mermoz l'acquiert rapidement car, dès ses premiers vols, les grands horizons, la grande aventure lui deviennent plus indispensables que le pain quotidien.

Sa première mission est fixée au désert de Palmyre. Quand il l'atteint, c'est la révélation : l'infini des sables, de la mer, des forêts, des palmiers... ; toute sa vie il en conservera le mystique éblouissement :

J'ai la nostalgie du bled,

dira-t-il, éloigné de ce désert qui, à lui seul, lui donne le sens du divin. Là, il se livre chaque jour à des exercices d'athlète ; il court, lance les poids et monte à cheval. « Il vole aussi au secours des blessés, des fiévreux, des mutilés, pour lesquels les soins rapides des médecins sont une question de vie ou de mort ; quel miracle pour eux de voir arriver ce messager de la santé, de l'espérance, avec son avion étincelant. Mermoz est devenu un brancardier ailé. » Le surnom qu'on lui a donné, « le Guynemer de la paix », répond bien au sens pacifique de son signe.

Ne retrouve-t-on pas également le centaure à la flèche ascendante dans ses propres déclarations ?

1. J. Kessel, *Jean Mermoz*, N.R.F.

J'éprouve une difficulté terrible à redescendre sur terre.

Je n'ai rien à désirer. Je vais, sans faiblir, mon chemin, lequel m'apparaît comme une ligne droite, impeccable, de laquelle je ne voudrais pour rien au monde m'écarter.

C'est précisément dans les airs qu'il trouve la paix ; c'est dans une sorte d'état de « somnambulisme aérien » qu'il se trouve le plus près de la félicité. C'est une véritable identification à la flèche du centaure, une préfiguration de l'homme-fusée. Sa sensibilité, son imagination, toute sa nature, déclare Kessel, étaient tendues vers les lignes de l'infini. « Mermoz était né pour la quête de l'inaccessible. La terre et ses biens n'étaient pas en mesure de le satisfaire. Un appel plus exigeant le fascinait. Quand il a atteint le but qu'il se proposait, comme définitif, il le dépasse aussitôt pour aller à une autre lueur, un autre reflet, plus loin, plus haut. L'objet réel de cet acharnement et qui lui échappe, c'est le mouvement d'ascension lui-même, c'est la montée sans fin. »

Il devait finalement concrétiser le symbolisme de la flèche du centaure qui relie un point à un autre, en créant des lignes aériennes nouvelles. Le premier, il devait établir le service postal (Maison III et Gémeaux) Dakar-Natal en reliant au-dessus de l'Atlantique l'Afrique et l'Amérique du Sud.

Mermoz devait disparaître, englouti par les flots, le 6 décembre 1936. Ce grand centaure avait toutes les qualités de sa race zodiacale : la dignité, la fierté, le sens de la grandeur, la magnanimité... Il fut unanimement regretté.

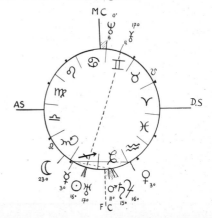

Rainer-Maria Rilke

Rainer-Maria Rilke naquit à Prague le 4 décembre 1875. Soleil en Sagittaire, Lune, Mars et Saturne en Verseau, Vénus au trigone de Neptune, le thème natal de Rilke est celui d'un être attiré sans cesse par les horizons lointains, le merveilleux, l'insaisissable. Destiné par sa famille à la carrière militaire, les années qu'il passa au Collège des Cadets furent pénibles. A quinze ans, il quitta le Collège, poursuivit des études à Prague, Munich, Berlin, publia son premier recueil de vers à dix-neuf ans et dès lors ne cessa d'écrire et de

> *Regarder loin dans les pays*
> *Jusqu'aux confins du ciel...*

Georges Grappe, dans sa préface aux « Lettres à Rodin », explique ainsi la « nostalgie » de Rilke : « Un impérieux besoin de visiter des pays nouveaux... l'entraînait tout à coup, à peu près dépourvu d'argent, sur les routes, et on ne parvient pas à comprendre par quel miracle il pouvait, dépourvu de toute fonction régulière, isolé, pauvre, séjourner tour à tour en Allemagne, en Italie, en Autriche. ...Quelque âpre que fût la route, si rudes que fussent aux pieds — et à l'âme — les heurts de ces longs pèlerinages que son ardente imagination l'incitait à entreprendre vers ces villes que des poètes ou des historiens lui avaient fait aimer, par avance, comme les lieux les plus émouvants du monde, il ne se lassait pas d'accomplir les voyages qui devaient les lui révéler. »

Ainsi que Rilke dira de son héros Malte, ce jeune Danois exilé à Paris : *C'était le temps où il commença à se sentir une chose dans l'univers...* A l'ardeur du départ succédait parfois la tristesse du dépaysement : *Et l'on n'a rien ni personne, et l'on voyage à travers le monde avec sa malle et une caisse de livres.*

Sortir des limites imposées par la condition humaine, la race, la patrie, afin de participer à une vie plus vaste, cette aspiration du Sagittaire s'exprima dans les actes et dans l'œuvre du poète : *Nous sommes les abeilles de l'univers.*

Nous butinons éperdument le miel du visible pour l'accumuler dans la grande ruche d'or de l'invisible. En retour, lui fut ouvert le trésor des symboles : ceux du Sagittaire foisonnent dans ses écrits, à commencer par *La Chanson d'Amour et de Mort du Cornette Christoph Rilke : Chevaucher, chevaucher, chevaucher, par le jour, par la nuit, par le jour.* Ce thème du cavalier, il le reprendra plus tard dans un poème du *Livre d'Images* :

> *Je voudrais devenir un de ceux-là*
> *qui passent dans la nuit sur des chevaux sauvages,*
> *laissant flotter au vent de leur galop*
> *les cheveux dénoués de leurs flambeaux.*

L'arbre plongeant ses racines dans la terre pour élever ses branches vers le ciel, rappelle au sagittarien sa propre aspiration à joindre le rêve au réel, le spirituel au matériel : *Or, un arbre monta, pur élan de lui-même.*

L'espace, que la flèche du Sagittaire va traverser, trait d'union entre le cavalier tenu au sol et l'immensité de son désir, est pour Rilke un mot plein de magie :

> *... Hors de tes bras*
> *lance le vide vers les espaces que nous respirons ; peut-être*
> *les oiseaux sentiront-ils l'air élargi d'un vol plus ému.*

(*La Première Elégie*). Dans les *Sonnets à Orphée*, il reprend ce thème :

> *Sens, tranquille ami de tant de larges,*
> *combien ton haleine accroît encor l'espace.*

Le symbole de la flèche se retrouve dans *La Première Elégie* :

> *...N'est-il pas temps*
> *que ceux qui aiment se libèrent de l'objet aimé,*
> *et le surmontent, frémissants ? Ainsi le trait*
> *vainc la corde pour être, rassemblé dans le bond,*
> *plus que lui-même...*

L'Ange, créature surnaturelle, messager de la divinité, représente dans les valeurs sagittariennes, la transmutation de la chair en esprit. Rilke a repris maintes fois ce symbole.

Dans *La Première Elégie* :

> *Qui donc, si je criais, parmi les cohortes des anges*
> *m'entendrait ? Et l'un d'eux quand même dût-il*
> *me prendre soudain sur son cœur, ne m'évanouirais-je pas*
> *sous son existence trop forte ?*
> *...Tout ange est terrible.*

Dans *La deuxième Elégie* :

> *...Qu'ils sont loin, les jours de Tobie,*
> *où le plus rayonnant de vous pouvait paraître*
> *à peine déguisé un peu pour le voyage,*
> *au seuil de la maison, sans provoquer l'effroi.*

Rilke expliquait, dans la *Lettre à un ami*, en 1925 : *L'Ange des « Elégies » est cet être dans lequel la transformation du visible en invisible, à quoi nous aspirons, se révèle déjà accomplie... Il est cet être qui témoigne que l'invisible est un degré plus haut de la réalité... Et c'est cette mission qui le rend « terrible » pour nous, — pour nous qui restons attachés au visible dont nous sommes à la fois les amants et les transformateurs...*

Le sentiment religieux de Rilke, Sagittaire nuancé d'indépendance par le Verseau, de mysticisme par Neptune, n'adhérait à aucune orthodoxie :

> *...ceux qui te trouvent te lient*
> *à l'image et au geste.*
> *Je veux, moi, te comprendre*
> *comme la terre te comprend ;*
> *en mûrissant*
> *je fais mûrir ton règne.*

D'après Edmond Jaloux : « Rilke se tenait dans une attitude de moine presque mystique en face de ce prolongement de toutes choses qu'il nommait Dieu... Pour Rilke, toute chose créée était le premier *signe d'une longue série de symboles ou d'événements, qui devaient aboutir à Dieu.*

Pèlerin, prophète, *ne désirant autre chose que ce rayon d'éternité qui est le but suprême de la vie créante,* Rainer-Maria Rilke fut, par le Sagittaire, *un élu qu'appelle le large.*

Robert Surcouf

Le célèbre corsaire est né à Saint-Malo le 12 décembre 1773, avec le Soleil conjoint à Mars, ainsi que la Lune en Sagittaire.

Surcouf est considéré comme le vrai type du corsaire français, franc, brusque, emporté, quoique généreux, serviable et bon, et d'un courage à toute épreuve. Sans peine on reconnaît son signe, allié à une valeur martienne.

Sa vie se passe sur les mers, en voyages interminables, à la chasse des navires anglais. Il n'a pas treize ans que son père le met à bord d'un petit bâtiment qui fait le commerce des côtes. Il ne se contente pas longtemps de cette navigation qui borde les terres et s'embarque pour les Indes. Voyage difficile où le jeune volontaire fait son devoir avec tant de zèle et d'intrépidité qu'à dix-sept ans il est lieutenant.

« Bravoure de Surcouf », image populaire, Musée Carnavalet.

Quelques années plus tard, il prend le commandement d'un navire corsaire, *L'Emilie*, qui porte 30 hommes d'équipage et 4 canons. C'est alors que commence la série des captures retentissantes ; on le voit s'installer sur le brick-pilote *Le Cartier* qu'il a saisi et se rendre maître de *La Diana* qui compte 150 matelots avec 26 canons. De retour en mer avec *La Clarisse*, ayant 140 hommes à bord et 14 canons, il ne cesse de capturer les navires ennemis et se livre à des chasses périlleuses, se rendant même maître du *Kent* avec ses 400 hommes et ses 38 canons...

Quand Napoléon lui propose le grade de capitaine, il refuse tout net, préférant garder son indépendance. Il armera lui-même des corsaires qui, jusqu'à la Restauration, livrèrent la chasse aux navires anglais.

Henri de Toulouse-Lautrec

Le plus sagittarien des peintres modernes est sans doute Toulouse-Lautrec qui, né à Albi le 24 novembre 1864 à 6 heures, présente une triple conjonction Soleil-Jupiter-Mercure dans le signe et à l'opposition de Mars maître de l'Ascendant en Scorpion.

Le problème, le drame de ce peintre, en même temps que le levier de son génie, le Sagittaire en donne pour ainsi dire la clef psychologique qui n'a pas échappé à René Huyghe[1]. Toulouse-Lautrec, dit-il, aurait pu assouvir ses aspirations héréditaires et en particulier celles d'un père qui fut « un anachronique centaure aristocrate, un mainteneur attardé des traditions de la fauconnerie, une personnalité insolente, affirmée avec mépris », et il les aurait exprimées en notre temps « par le goût forcené du cheval, de la chasse, de l'effort physique, par la violence provocante de l'originalité ». Mais l'opposition de Mars brise toutes les espérances physiques de ce centaure : à quatorze et à quinze ans, Toulouse-Lautrec se brise les deux jambes ; ces accidents le laisseront à jamais infirme et difforme, son torse reposant désormais sur deux

---

1. René Huyghe, *Dialogue avec le Visible*, Flammarion, p. 254.

jambes écourtées et débiles. Réaction typique : au lieu de se plaindre, il accentue plutôt sa disgrâce comme pour décourager à l'avance toutes les compassions ; il affectera toujours de se conduire comme un homme normal.

Voilà bien le cas d'une activité rentrée, déclare Huyghe, « une activité impatiente pourtant de s'éployer, de se dépenser. Le graphisme de la main intacte deviendra le refuge de cette fougue privée des exutoires attendus (...). Lautrec, avec ses doigts armés du crayon, griffe, incise le papier, le parcourt d'élans infaillibles, comme un rapide virtuose ; et il fait passer dans son trait aigu, coupant, instantané, l'impatience dont frémit son poignet.

« Ce caractère qu'il imprime à son exécution et qui se reconnaîtrait tout aussi bien dans son coup de pinceau, pressé, régulier et crépitant (...) se définit encore par ses sujets préférés, ceux que, d'un choix irrésistible, il représente insatiablement. Dans la vie, l'alcool et la sensualité, les veilles ardentes lui restaient pour parvenir à se brûler. Mais

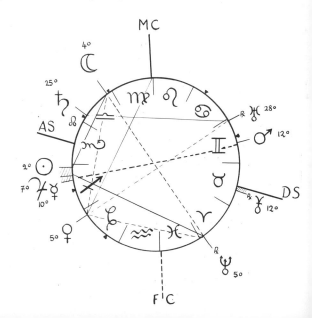

toutes les autres activités lui étaient refusées ; il les vivra donc par l'image, par les images qu'il crée.

« Dès son adolescence, dans ses cahiers de jeunesse, il étudie les chevaux bondissants, les attelages piaffants qui caracolent sur la Promenade des Anglais, à Nice. Puis, quand il se consacre à l'existence nocturne de Paris (Scorpion), avec la frénésie de l'insecte qui vient se brûler aux flammes du gaz, il adore la danse, les acrobates, le cirque, où il retrouve les chevaux enlevés par le claquement des fouets, en même temps que le tutu pailleté des danseuses... »

N'est-il pas révélateur que ce demi-cul-de-jatte ne rêve que de chevaux, de cavaliers, de danseuses, de jambes ? Et quelle musculature précise et contractée il leur trace ! Et quand il abandonne les grandes compositions de la danse au Moulin de la Galette et au Moulin-Rouge, lorsqu'il quitte le monde du théâtre, du music-hall, du cirque et des bals, c'est pour se passionner de la vie sportive. On le voit suivre l'entraînement des champions au vélodrome Buffalo ; il est parmi les premiers à s'intéresser au cyclisme et prend des croquis, inédits, faisant revivre ce monde dans des lithographies et des affiches.

Les voyages, au moins, ne lui sont pas interdits ; il les adore et les organise avec une note personnelle. « Pour aller à Bordeaux, il va chaque année s'embarquer au Havre et emprunte des cargos qui descendent vers l'Afrique. Un jour, par admiration pour une passagère, il pousse jusqu'à Lisbonne d'où il revient par Tolède, découvrant dans le Greco (un Sagittaire probable) le peintre qui l'impressionne le plus, avec Cranach et les Japonais[1].

Tel est l'aspect général que prend le dynamisme du Sagittaire chez Toulouse-Lautrec. Il va de soi que le peintre et son œuvre débordent ce cadre. Il y aurait beaucoup à dire, par exemple, de ce qui se rattache au Scorpion (Ascendant) : son coup de crayon qui dépouille un visage et en arrache les secrets, son attrait vers le monde de la prostitution..., mais nous pensons, en ne traitant qu'un Toulouse-Lautrec Sagittaire, avoir dégagé la vertu maîtresse de l'homme.

---

1. Jacques Lassaigne : *Dictionnaire de la peinture moderne*, Fernand Hazan.

Zamenhof

Une conjonction Soleil-Mercure en Sagittaire marque la naissance de Louis-Lazare Zamenhof, survenue à Bielostock le 14 décembre 1859. Ce médecin russe, après s'être activement occupé de philologie, a conçu l'idée de créer un langage susceptible d'être accepté par toutes les nationalités et d'être parlé par tous les habitants du monde européen, moyen indiqué de supprimer l'obstacle des frontières pour relier les communautés étrangères. Cette langue internationale qu'il a finalement fondée, *l'espéranto*, n'est-elle pas naturellement l'œuvre d'un sagittarien?

Affiches en espéranto

Iconographie

L'iconographie et la fabrication de cet ouvrage ont été confiées à Dominique Lyon-Caen.

Bibliothèque Nationale : pp. 10, 11, 30, 45, 66. Bibliothèque Nationale (Éditions du Seuil) : pp. 2, 4, 13, 14, 15, 16, 19, 20, 23, 32, 36, 37, 38, 39, 42, 43, 50, 55, 57, 58, 59, 60, 63, 68, 69, 70, 71, 73, 83, 91, 94, 120, 128. Bulloz : p. 97. Cahiers du Cinéma : p. 89 b. Delagrave : p. III. Giraudon : pp. 6, 25, 34, 46, 86, 121, 124. Keystone : pp. 75, 88 a, 89 a, 100, 115. Rezarail : pp. 102, 104. Roger-Viollet : pp. 105, 108, 113, 126, 127. Cinémathèque : p. 49. Harlingue : p. 107. British Museum : p. 40. Match : p. 88 b.

Ouvrages à consulter

André Barbault   *Traité pratique d'astrologie*, Seuil.
                              De la psychanalyse à l'astrologie, Seuil.
                              Connaissance de l'astrologie, Seuil.
                              Petit manuel d'astrologie, Seuil.
                              Le pronostic expérimental en astrologie, Payot.
                              L'Astrologie mondiale, Fayard.
Warren Kenton   *Astrologie, le miroir céleste*, Seuil.
Jean-Pierre Nicola   *Pour une astrologie moderne*, Seuil.
François-Régis Bastide   *Zodiaque, secrets et sortilèges*, Lib. Acad. Perrin.

Collaborations

Études de Brasseur : Jacqueline Aimé. *Broussais* : Louis Millat. *Walt Disney, Kipling* : Jean-Pierre Nicola. *Rilke* : Marilène Jauréguibéhère.

Achevé d'imprimer en 1979 par l'imprimerie Tardy Quercy S.A. Bourges
Dépôt légal 3e tr. 1958 - No 944-9 (7749)